Beppe Severgnini in BUR

Italiani si diventa
Saggi - Pagine 224 - ISBN 1786575

❖

Un italiano in America
Saggi - Pagine 420 - ISBN 1712647

❖

L'italiano. Lezioni semiserie
Saggi - Pagine 224 - ISBN 1702744

❖

Inglese. Lezioni semiserie
Saggi - Pagine 380 - ISBN 1711871

❖

Inglesi
Saggi - Pagine 304 - ISBN 1711870

❖

Italians
Saggi - Pagine 256 - ISBN 1703578

❖

La testa degli italiani
Saggi - Pagine 252 - ISBN 1702224

Imperfetto manuale di lingue
Extra - Pagine 700 - ISBN 1704274

❖

Manuale del perfetto interista
Extra - Pagine 740 - ISBN 1704836

❖

Manuale del perfetto turista
Extra - Pagine 688 - ISBN 1703273

❖

Manuale dell'uomo normale
Extra - Pagine 608 - ISBN 1702637

❖

An Italian in America
Saggi - Pages 288 - ISBN 1712553

❖

An Italian in Britain
Saggi - Pages 320 - ISBN 1710043

❖

An Italian in Italy
Saggi - Pages 320 - ISBN 1701734

Beppe Severgnini

LA PANCIA
DEGLI ITALIANI

Berlusconi spiegato ai posteri

Edizione aggiornata

BURbig
rizzoli

ISBN 978-88-17-05058-6

Prima edizione Rizzoli 2010
Prima edizione BUR Big agosto 2011

Realizzazione editoriale: Studio Editoriale Littera, Rescaldina (MI)

Per conoscere il mondo BUR visita il sito **www.bur.eu**

All'elettore e al detrattore

Non ho paura di Berlusconi in sé.
Ho paura di Berlusconi in me.
Giorgio Gaber

Conclusioni iniziali

Dieci fattori (più uno)

Spiegare Silvio Berlusconi agli italiani è una perdita di tempo. Ciascuno di noi ha un'idea, raffinata in anni di indulgenza o idiosincrasia, e non la cambierà. Ogni italiano si ritiene depositario dell'interpretazione autentica: discuterla è inutile.

Utile è invece provare a spiegare il personaggio ai posteri e, perché no?, agli stranieri. I primi non ci sono ancora, ma si chiederanno cos'è successo in Italia. I secondi non capiscono, e vorrebbero.

Com'è possibile che Berlusconi – d'ora in poi, per brevità, B. – sia stato votato (1994), rivotato (2001), votato ancora (2008)? Dopo la batosta nelle elezioni amministrative e nei referendum (2011) il vento sembra cambiato. Ma la domanda resta: perché la maggioranza degli italiani lo ha appoggiato e/o sopportato? Non ne vede gli appetiti, i limiti e i metodi? Risposta: li vede eccome. Se B. ha dominato la vita pubblica per quasi vent'anni, c'è un motivo. Anzi, ce ne sono dieci. Più uno.

1 FATTORE UMANO

Cosa pensa la maggioranza degli italiani? «Ci somiglia, è uno di noi.» E chi non lo pensa, lo teme. B. vuole bene ai figli, parla della mamma, capisce di calcio, sa fare i soldi, ama le case nuove, detesta le regole, racconta le barzellette, dice le parolacce, adora le donne, le feste e la buona compagnia. È un uomo dalla memoria lunga capace di amnesie tattiche. È arrivato lontano alternando autostrade e scorciatoie. È un anticonformista consapevole dell'importanza del conformismo. Loda la Chiesa al mattino, i valori della famiglia al pomeriggio e la sera si porta a casa le ragazze.

L'uomo è spettacolare, e riesce a farsi perdonare molto. Tanti italiani non si curano dei conflitti d'interesse (chi non ne ha?), dei guai giudiziari (meglio gli imputati dei magistrati), delle battute inopportune (è così spontaneo!). Promesse mancate, mezze verità, confusione tra ruolo pubblico e faccende private? C'è chi s'arrabbia e chi fa finta di niente. I secondi, apparentemente, sono più dei primi.

2 FATTORE DIVINO

B. ha capito che molti italiani applaudono la Chiesa per sentirsi meno colpevoli quando non vanno in chiesa, e ignorano regolarmente sette comandamenti su dieci. La coerenza tra dichiarazioni e comportamenti non è una qualità che pretendiamo dai nostri leader. L'indignazione privata davanti all'incoerenza pubblica è il movente del voto in molte democrazie. Non in Italia. B. ha capito con chi ha a che fare: una nazione che, per evitare delusioni, non si fa illusioni.

In Vaticano – non nelle parrocchie – si accontentano

di una legislazione favorevole, e non si preoccupano dei cattivi esempi. Movimenti di ispirazione religiosa come Comunione e Liberazione preferiscono concentrarsi sui fini – futuri, quindi mutevoli e opinabili – invece che sui metodi utilizzati da amici e alleati. Per B. quest'impostazione escatologica è musica. Significa spostare il discorso dai comportamenti alle intenzioni.

3 FATTORE ROBINSON

Ogni italiano si sente solo contro il mondo. Be', se non proprio contro il mondo, contro i vicini di casa. La sopravvivenza – personale, familiare, sociale, economica – è motivo di orgoglio e prova d'ingegno. Molto è stato scritto sull'individualismo nazionale, le sue risorse, i suoi limiti e le sue conseguenze. B. è partito da qui: prima ha costruito la sua fortuna, accreditandosi come un uomo che s'è fatto da sé; poi ha costruito sulla sfiducia verso ciò che è condiviso, sull'insofferenza verso le regole, sulla soddisfazione intima nel trovare una soluzione privata a un problema pubblico. In Italia non si chiede – insieme e con forza – un nuovo sistema fiscale, più giusto e più equo. Si aggira quello esistente.

Ognuno di noi si sente un Robinson Crusoe, naufrago in una penisola affollata.

4 FATTORE TRUMAN

Quanti quotidiani si vendono ogni giorno in Italia, se escludiamo quelli sportivi? Cinque milioni. Quanti italiani entrano regolarmente in libreria? Cinque milioni. Quanti sono i visitatori dei siti d'informazione? Cinque milioni. Quanti seguono Sky Tg24 e Tg La7? Cinque milioni. Quanti guardano i programmi televisivi d'approfondimento in seconda serata? Cinque milioni, di ogni opinione politica.

Il sospetto è che siano sempre gli stessi. Chiamiamolo Five Million Club. È importante? Certo, ma non decide le elezioni. La televisione – tutta, non solo i notiziari – resta fondamentale per i personaggi che crea, per i messaggi che lancia, per le suggestioni che lascia, per le cose che dice e soprattutto per quelle che tace. E chi possiede la Tv privata e controlla la Tv pubblica, in Italia?

Come nel *Truman Show*, il capolavoro di Peter Weir, qualcuno ci ha aiutato a pensare.

5 FATTORE HOOVER

La Hoover, fondata nel 1908 a New Berlin, oggi Canton, Ohio (Usa) è la marca d'aspirapolveri per antonomasia, al punto da essere diventata un nome comune: in inglese, «passare l'aspirapolvere» si dice *to hoover*. I suoi rappresentanti (*door-to-door salesmen*) erano leggendari: tenaci, esperti, abili psicologi, collocatori implacabili della propria merce.

B. possiede una capacità di seduzione commerciale che ha ereditato dalle precedenti professioni – edilizia, pubblicità, televisione – e ha applicato alla politica. La consapevolezza che il messaggio dev'essere semplice, gradevole e rassicurante. La convinzione che la ripetitività paga. La certezza che l'aspetto esteriore, in un Paese ossessionato dall'estetica, resta fondamentale (tra una bella figura e un buon comportamento, in Italia non c'è partita).

6 FATTORE ZELIG

Immedesimarsi negli interlocutori: una qualità necessaria a ogni politico. La capacità di trasformarsi in loro è più rara. Il desiderio di essere gradito ha insegnato a B. tecniche degne di Zelig, camaleontico protagonista del film di Woody Allen. Padre di famiglia coi figli (e le due mogli, finché è durata). Donnaiolo con le donne. Giovane tra i giovani. Saggio con gli anziani. Nottambulo tra i nottambuli. Lavoratore tra gli operai. Imprenditore tra gli imprenditori. Tifoso tra i tifosi. Milanista tra i milanisti. Milanese con i milanesi. Lombardo tra i lombardi. Italiano tra i meridionali. Napoletano tra i napoletani (con musica). Andasse a una partita di basket, potrebbe uscirne più alto.

7 FATTORE HAREM

L'ossessione femminile, ben nota in azienda e poi nel mondo politico romano, è diventata di pubblico dominio nel 2009, dopo l'apparizione al compleanno della diciottenne Noemi Letizia e le testimonianze sulle feste a Villa Certosa e a Palazzo Grazioli. B. dapprima ha negato, poi ha abbozzato («Sono fedele? Frequentemente»), alla fine ha accettato la reputazione («Non sono un santo»). Le rivelazioni non l'hanno danneggiato: ha perso la moglie, ma non i voti. Molti italiani preferiscono l'autoindulgenza all'autodisciplina; e non negano che lui, in fondo, fa ciò che loro sognano. Non c'è solo l'aspetto erotico: la gioventù è contagiosa, lo sapevano anche nell'antica Grecia (dove veline e velini, però, ne approfittavano per imparare). Un collaboratore sessantenne, fedele della prima ora, descrive l'insofferenza di B. durante le lunghe riunioni: «È chiaro: teme che gli attacchiamo la vecchiaia».

8 FATTORE MEDICI

La Signoria – insieme al Comune – è l'unica creazione politica originale degli italiani. Tutte le altre – dal feudalesimo alla monarchia, dal totalitarismo al federalismo fino alla democrazia parlamentare – sono importate (dalla Francia, dall'Inghilterra, dalla Germania, dalla Spagna o dagli Stati Uniti). In Italia mostrano sempre qualcosa di artificiale: dalla goffaggine del fascismo alla rassegnazione del Parlamento attuale. La Signoria risveglia, invece, automatismi antichi.

L'atteggiamento di tanti italiani di oggi verso B. ricorda quello degli italiani di ieri verso il Signore: sappiamo che pensa alla sua gloria, alla sua famiglia e ai suoi interessi; speriamo pensi un po' anche a noi. «Dall'essere costretti a condurre vita tanto difficile» scriveva Giuseppe Prezzolini «i Signori impararono a essere profondi osservatori degli uomini.» Si dice che Cosimo de' Medici, fondatore della dinastia fiorentina, fosse circospetto e riuscisse a leggere il carattere di uno sconosciuto con uno sguardo. Anche B. è considerato un formidabile studioso degli uomini. Ai quali chiede di ammirarlo e non criticarlo; adularlo e non tradirlo; amarlo e non giudicarlo.

9 FATTORE T.I.N.A.

T.I.N.A., *There Is No Alternative.* L'acronimo, coniato da Margaret Thatcher, spiega la condizione di molti elettori. L'alternativa di centrosinistra s'è rivelata poco appetitosa: coalizioni rissose, proposte vaghe, comportamenti ipocriti. L'ascendenza comunista del Partito Democratico è indiscutibile, e B. non manca di farla presente. Il doppio, sospetto e simmetrico fallimento di Romano Prodi – eletto nel 1996 e 2006, silurato nel 1998 e 2008 – ha un suo garbo estetico, ma si è rivelata un'eredità pesante.

Gli italiani sono realisti. Prima di scegliere ciò che ritengono giusto, prendono quello che sembra utile. Alcune iniziative di B. piacciono (o almeno dispiacciono meno dell'alternativa): abolizione dell'Ici sulla prima casa, contrasto all'immigrazione clandestina, lotta alla criminalità organizzata, riforma del codice della strada. Se queste iniziative si dimostrano un successo, molti media provvedono a ricordarlo. Se si rivelano un fallimento, c'è chi s'incarica di farlo dimenticare.

Non solo: il centrodestra unito rassicura, almeno quanto il centrosinistra diviso irrita. Se l'unico modo per tenere insieme un'alleanza politica è possederla, B. ne ha presto calcolato il costo (economico, politico, nervoso). Senza conoscerlo, ha seguito il consiglio del presidente Lyndon B. Johnson il quale, parlando del direttore dell'Fbi J. Edgar Hoover, sbottò: «*It's probably better to have him inside the tent pissing out, than outside the tent pissing in*», probabilmente è meglio averlo dentro la tenda che piscia fuori, piuttosto di averlo fuori che piscia dentro. Così si spiega l'espulsione e il disprezzo verso Gianfranco Fini, co-fondatore del Popolo della Libertà. Nel 2010, dopo sedici anni, l'alleato ha osato uscire dalla tenda: e non è ben chiaro quali intenzioni abbia.

10 FATTORE PALIO

Conoscete il Palio di Siena? Vincerlo, per una contrada, è una gioia immensa. Ma esiste una gioia altrettanto grande: assistere alla sconfitta della contrada rivale. Funzionano così molte cose, in Italia: dalla geografia all'industria, dalla cultura all'amministrazione, dalle professioni allo sport (i tifosi della Lazio felici di perdere con l'Inter pur di evitare lo scudetto alla Roma). La politica non poteva fare eccezione: il tribalismo non è una tattica, è un istinto. Pur di tener fuori la sinistra, giudicata inaffidabile, molti italiani avrebbero votato il demonio. E B. sa essere diabolico. Ma il diavolo, diciamolo, ha un altro stile.

Ora vediamoli con calma, i dieci fattori: uno per uno.

1

Fattore Umano

Mostrava i video alle ragazze. Sesso? Ma no, estratti dei telegiornali. Il padrone di casa che passeggiava con George W. Bush a Camp David. Tre giovani donne davanti a uno schermo, attente come a scuola, prima dell'interrogazione. Due hanno chiesto di andare in bagno. Si sono sistemate i capelli col phon e hanno scattato una foto-ricordo davanti allo specchio.[1] Chi ci avrebbe creduto, altrimenti?

Palazzo Grazioli è un luogo romano e seducente, pieno di storie e proprietari: gesuiti e architetti, ambasciatori e principesse, baroni e commendatori. Chi di loro avrebbe immaginato che l'inquilino del piano nobile – arredato da Giorgio Pes, autore di scenografie per Luchino Visconti – un giorno avrebbe organizzato una *proiezione*? Non per consiglieri, ministri e industriali. No. Per giovani donne costrette – dalla condizione e dall'occasione – a mostrarsi ammirate. Un esibizionismo così scoperto da spingere all'indulgenza.

Perché partire da qui? L'episodio aiuta a capire come

B. seduce da molti anni gli italiani: imitandoli. Non tutti: molti, abbastanza da ottenere la maggioranza, con l'aiuto di una legge elettorale favorevole. A Palazzo Grazioli – via del Plebiscito, un indirizzo che nasconde un sogno – l'uomo cercava, almeno nella prima parte della serata, conferme e approvazione. Mostrava i video e le foto delle sue ville. Soltanto dopo invitava la prescelta ad aspettarlo nel «lettone di Putin»: una fantasia di sesso e souvenir, un trofeo dentro un altro trofeo per un pubblico che non c'era. L'esuberanza feroce di un uomo che, come molti, rifiuta d'invecchiare. Ma, a differenza di quasi tutti, ritiene di poterci riuscire.

B. è l'autobiografia aggiornata della nazione,[2] e le autobiografie sono piene di autoindulgenza e omissioni. Decine di milioni di italiani non si curano dei conflitti d'interesse (chi non ne ha?), delle promesse mancate (chi non ne fa?), delle leggi su misura (lui che può!), dei guai giudiziari (e se domani toccasse a noi?). Le mezze verità, le domande senza risposta? *Accountability* è difficile da tradurre in italiano. *Simpatia* è impossibile da rendere in inglese.

E la simpatia si conquista anche scendendo – per calcolo, per caso o per errore – al livello degli elettori meno informati. Bastano piccole cose. Nel maggio del 2010, durante una conferenza-stampa a Villa Madama, ha detto: «Abbiamo tanti strumenti tecnologici. C'è per esempio anche l'uso di Gògol e di altri strumenti offerti da Internet...».[3] *Gogol*? Nikolaj Vasil'evič? Lo scrittore? No, forse Google, pronunciato *gug-l*, il motore di ricerca. Ma B. non conosce Internet. Nel 2009 ha chiesto al capo di un'importante azienda del settore: «Scusi, ma lei ha capito a cosa serve?».[4] Una prova d'inadeguatezza? Altrove, forse. In Italia esiste una parte di elettorato che, come lui, non naviga – ma vota. E ama sentirsi in compagnia.

Lo stesso vale per i passi falsi in occasioni ufficiali, in Italia e all'estero: non è detto che siano controproducenti.

Negli ultimi otto anni B. è riuscito a

- mostrare le corna in una foto ufficiale (2002)
- dire a un europarlamentare tedesco che l'avrebbe proposto «per il ruolo di Kapò» in un «film sui campi di concentramento» (2003)
- farsi fotografare accanto a Tony Blair con una bandana in testa (2004)
- mostrare il dito medio in un comizio (2005)
- raccontare «d'aver rispolverato le doti di play-boy» con la presidente finlandese Tarja Halonen (2005)
- sostenere che i maoisti cinesi «bollivano i bambini per fertilizzare i campi» (2006)
- esibire i calciatori brasiliani del Milan davanti al presidente Luiz Inácio Lula, come fossero figurine (2008)
- fare cucù alla cancelliera Angela Merkel (2008)
- farla aspettare in piedi, sul tappeto rosso, mentre parlava al cellulare (2009)
- irritare Elisabetta II chiamando a gran voce i presenti (2009)
- affermare d'aver «intimato» al presidente americano e a quello russo di siglare il trattato sulla riduzione degli arsenali nucleari (2010)[5]

La stampa estera ride;[6] la Rete, spesso, lo deride;[7] ma buona parte dell'opinione pubblica italiana sorride. Umano, troppo umano.

Un successo durato troppo a lungo per essere casuale. Non passa per l'esempio o l'autorevolezza, ma per la complicità. Io sono come voi, pieno di tentazioni e insofferenze, entusiasmi e impazienza; disposto ad ammettere le mie debolezze e a perdonare le vostre; pronto ad allontanare la colpa. O ad ammetterla, se ciò non comporta conseguenze.

Raccontare una barzelletta sui lager nazisti poco prima del Giorno della Memoria è – come minimo – sconveniente (tirarne fuori altre due su Hitler e gli ebrei spilorci appare di cattivo gusto).[8] Antisemita? Nemmeno per sogno. Definire Barack Obama «giovane, bello e anche abbronzato»[9] è bizzarro, per alcuni offensivo. Razzista? Certamente no. Vittima invece – in un caso e nell'altro – dell'ansia di piacere, che porta gli uomini in genere, e noi italiani in particolare, a commettere errori.

A sinistra, davanti a questi episodi, provano a dipingere l'avversario come un irresponsabile; a destra cercano di farlo passare come una vittima della malizia altrui. B. non è né una cosa né l'altra.

La sua spontaneità è calcolata. Fornito di un'autostima vertiginosa, probabile reazione a un'antica insicurezza, B. è davvero spavaldo: non finge. Dotato di formidabile fiuto, capisce che le critiche straniere e l'imbarazzo di alcuni italiani aumentano la sua popolarità presso la gente semplice: quella che un tempo votava a sinistra, e adesso sceglie lui.

Dopo aver detto ciò che gli pare e piace – tra gli occhi

bassi dei consiglieri e gli occhi teneri degli adulatori – B. scopre, in sostanza, il tornaconto politico. Battute da bar? Ma è nei bar, non nei centri-studi, che si vincono le elezioni. Solo Massimo D'Alema si ostina a non capirlo.

B. è la pancia del Paese che parla; e un leader ventriloquo può permettersi molte cose.

Il 24 settembre 2003 sbalordisce Wall Street spiegando uno dei motivi per portare capitali in Italia: «Abbiamo anche bellissime segretarie, ragazze stupende. Provate a investire da noi perché almeno lo potete fare in letizia».[10] Si rende conto di trovarsi negli Stati Uniti, dove un complimento può provocare una denuncia? Forse sì. Ma il timore di mettere a disagio il prossimo è sempre inferiore al desiderio di stupirlo.

La bella segretaria, riconoscimento alla carriera e risarcimento alla monotonia dell'ufficio, ha riempito decenni di film e commedie italiane, e continua a occupare pubblicità, sogni e discorsi. C'è un pensiero maschile che non osa uscire allo scoperto, ma resiste. Si nasconde in un'occhiata, si insinua in un commento, si rifugia nella pausa-pranzo, dove i colleghi si scambiano fantasie, pronti ad abbassare lo sguardo se l'oggetto dei desideri, sorridente, s'avvicina al tavolo. B., tutto questo, lo sa.

Il 12 febbraio 2010 il presidente del Consiglio italiano incontra a Roma il primo ministro albanese Sali Berisha. «Non voglio più morti nel canale d'Otranto, non voglio flussi criminali verso l'Italia» dichiara l'ospite davanti ai giornalisti. «Be', facciamo qualche eccezione per le belle ragazze...», chiosa il padrone di casa.[11] Associare i «flussi criminali verso l'Italia» alle «belle ragazze» albanesi, che spesso ne sono vittime, appare irresponsabile. Ma B., con quella frase, ha assolto milioni d'italiani in bilico tra tentazione e pena, passando di fianco a una giovane donna dell'Est sul ciglio di una statale.

La sua forza non è essere ricco: è esibirlo. Se la ricchezza provoca invidia, l'esibizione genera curiosità e la curiosità produce divertimento. Il successo delle monarchie, e la popolarità dei divi di Hollywood, si spiegano anche così. B. propone una versione autarchica del fenomeno: uno spettacolo quotidiano e mai prevedibile.

Il numero delle residenze; gli arredi opulenti; i giardini esotici; le attenzioni per gli ospiti, che comprendono eruzioni telecomandate e ninfette al bagno. Villa Certosa a Porto Rotondo – costantemente ampliata, ritoccata, sistemata – è il sogno erotico-edilizio di ogni nuovo ricco. Se i vicini di casa – il barese Giampaolo Tarantini, per dirne uno – non si limitavano a portare in dono un sorriso e un gelato, be', questo il pubblico lo dimentica. Non dimentica invece lo sfarzo associato al comando. E, segretamente, lo invidia.

B. lo sa, e si regola di conseguenza. «La sinistra continua a dire "Berlusconi a casa!", creandomi un certo imbarazzo e un certo disagio [*pausa*]. Perché avendone venti, di case, non saprei dove andare...»[12] La battuta non è male; ma in quale altra democrazia il capo di governo potrebbe pronunciare una frase così?

Capire le aspirazioni di chi ti vota – o potrebbe votarti – e accarezzare i suoi desideri, anche quando diventano egoismi: non è lungimirante, ma rende. E se Villa Certosa o Palazzo Grazioli si possono soltanto sognare, una villetta a schiera si riesce ad acquistare. Il Piano Casa del governo, nella formulazione originale,[13] è sembrato un invito all'anarchia edilizia. Ma è un'idea abile, in una nazione di edificatori bulimici (l'Agenzia del Territorio, con la ricognizione aerea, ha scoperto 2.077.048 fabbricati non iscritti al catasto).[14]

Stiamo mangiandoci l'Italia a bocconi? Una lettrice, Serena, non è d'accordo. Scrive al forum «Italians» di Corriere.it:

> *Vivo a Modena, città a misura di anziano, in un appartamento di 40 metri quadrati, e farei qualsiasi cosa per una villetta con giardino e cane, e chi se ne frega delle radici contadine! [...] Ben vengano tante nuove costruzioni, moderne e dai costi affrontabili. Le compriamo noi di trent'anni le case nuove, non si preoccupi. A quelli della sua età lasciamo le villette in cui già vivete, e che vi siete accaparrati quando eravate giovani come noi, tanto inscatolate gli altri. Ai trentenni avete regalato solo il precariato e dei loculi fatiscenti in affitto. Be', grazie mille.*

Non è detto che Serena voti Popolo della Libertà. Ma quando B. ripeterà «Faremo new towns per i giovani»[15] – ignorando problemi di servizi, di trasporti e di abuso del territorio – statene certi: lei lo ascolterà.

Così molti hanno ascoltato queste frasi:

> *Non voglio vedere una punta da sola in avanti, questo è il motivo per cui ho cacciato Leonardo, confinava sempre Pato sull'ala. Le punte sono due e devono giocare insieme in attacco.*
> (In visita a Milanello, centro sportivo del Milan)

Avremo una legge che non consentirà agli italiani di parlare liberamente al telefono.
(Sempre a Milanello, al fianco di Massimiliano Allegri, neo-allenatore del Milan)

Cinque figli uno più bravo dell'altro. Merito dei genitori.
(Alla laurea in filosofia della figlia Barbara, Università Vita-Salute San Raffaele di Milano)

Nella maggioranza solo piccole incomprensioni.
(All'Università telematica e-Campus a Novedrate, Como)

Nel Pdl nessuna questione morale, solo tre o quattro che non sono angeli.
(In attesa di ricevere il premio Grande Milano)

Vi chiederete: cosa c'entrano i genitori con i telefoni, il partito con le punte del Milan? La risposta non è difficile. Quell'escursione in campi tanto diversi – tra il 19 e il 20 luglio 2010, nel giro di poche ore – aveva un doppio scopo: mostrare che le preoccupazioni sono quelle di tutti (figli, cellulari, calcio); e distogliere l'attenzione dalle difficoltà del governo. Umano e politico, sempre insieme.

Le dichiarazioni, com'è inevitabile, hanno riempito quotidiani e giornali sportivi, telegiornali e cronaca rosa, siti Internet e discussioni nei bar. In un momento delicato: il co-fondatore del Popolo della Libertà stava per uscire dal partito (Fini); due ministri e un sottosegretario s'erano dimessi (Scajola, Brancher, Cosentino); un altro era prossimo a essere indagato (Caliendo); il coordinatore nazionale del Pdl (Verdini), insieme a un vecchio amico (Dell'Utri), era coinvolto in una storia di commesse e favori; in Lombardia, dominata dal centrodestra, occorreva spiegare le infiltrazioni malavitose nella Sanità. Un altro capo di governo sarebbe andato a riferire in Parlamento. B. ha preferito Milanello e le guglie del Duomo.

Ogni frase toccava una corda dell'animo italiano: i sogni calcistici estivi, l'idiosincrasia per i controlli, l'orgoglio dei genitori, la tendenza a sdrammatizzare. Pochi giorni prima, davanti a una platea d'imprenditori, B. aveva liquidato così l'inchiesta giudiziaria: «Solo un polverone, io sono sereno. I giornali parlano di P3? Sono quattro sfigati pensionati che si mettono insieme per cambiare l'Italia, non ci riesco io...».[16] Pensionati sfigati? Non sembra la definizione migliore per i personaggi arrestati o indagati. Ma che importa? I pensionati – magari soltanto annoiati – fanno parte del paesaggio italiano: aspettano seduti nei bar, passeggiano in attesa del sorriso di una commessa e dell'ora di pranzo. La gente li guarda con tenerezza. Temerli? Impossibile.

Gli avversari di B. sottovalutano il Fattore Umano. L'umanità non è coerente né prevedibile. Cerca appigli e scuse, si intrufola e si sfila, mette il cuore contro la mente; ma attira, più della virtù.

Virtù di cui B. non è sprovvisto, peraltro. L'uomo sa essere generoso e leale con amici, collaboratori e sottoposti (le tre categorie tendono a coincidere). Il suo marchio sembrano essere quelle che Natalia Ginzburg, diffidandone, chiamava le «piccole virtù»:[17] non l'amore per

29

la verità, ma l'astuzia; non l'amore per il prossimo, ma la diplomazia; non il desiderio di essere e di sapere, ma il desiderio del successo. C'è un dettaglio: sono le piccole virtù condivise dalla grande maggioranza.

Essere umano vuol dire sognare come tutti, e comprarsi i sogni come non tutti possono fare. «Per buttarsi alle spalle il peso delle ideologie» ha scritto Edmondo Berselli all'inizio degli anni Duemila «certi italiani hanno dovuto compiere sforzi giganteschi [...]. Molti hanno invece cambiato vita e mentalità, e magari anche il look, con il sollievo etico ed estetico che si avverte quando si realizza il *coming out* rivelando finalmente come si è sempre stati nel fondo dell'anima.»[18]

Al posto del pedagogismo spesso ipocrita, che però serviva da coperchio alla pentola degli istinti nazionali, un edonismo pubblico e rivendicato.

Forse non si è trattato «di una delle più strepitose mutazioni vissute da una collettività moderna», ma il cambiamento è innegabile. Forse non abbiamo assistito alla «emancipazione degli spiriti animali della nazione»,[19] ma di certo c'è qualcosa di antico e automatico in certe reazioni al potere. Forse non è stata «la rappresentazione non più colpevolizzante dei desideri degli italiani così come sono realmente», ma gli italiani di oggi non sono certo quelli di trent'anni fa.

La maggioranza – cresciuta tra pubblicità, televisione e celebrità ritoccate – non si scandalizza se B. rifiuta d'invecchiare. Il suo volto immutabile è uno specchio. Consente d'illudersi: chissà, forse neppure noi cambiamo. Il lifting, il trapianto di capelli e il trucco pesante non sono colpe, né motivi di imbarazzo. B. ha saputo fare di una pratica occulta un vanto,[20] suscitando solidarietà.

Benito Mussolini, secondo Italo Calvino, aveva saputo trasformare la testa calva da difetto fisico in simbolo di forza virile. B. prova ogni giorno a riscattare la piccola statura, la pinguedine e la calvizie: dove non arrivano il chirurgo, il parrucchiere o il truccatore, intervengono i media posseduti o controllati. Perché sa una cosa: in Italia i giudizi passano e le impressioni restano. Nel momento in cui qualcuno lo guarda e pensa «Certo che i suoi anni li porta bene», B. ha vinto.

Nell'estate 2010 è corsa voce che il ministro dell'Economia Giulio Tremonti – il più plausibile e determinato tra gli aspiranti successori – lo chiami, privatamente, «il nonnetto».[21] Attenzione: B. potrebbe, quando nessuno se l'aspetta, smettere di tingersi i capelli, abbandonare le occhiaie alla forza di gravità, rilasciare lo stomaco e proclamarsi anziano padre della patria. A quel punto ce lo ritroveremmo al Quirinale, presidente della Repubblica.

E gli avversari, come sempre, si chiederebbero com'è potuto succedere.

2

Fattore Divino

Abbiamo introdotto un'altra novità nella politica italiana, e si chiama moralità.

Poi spiega. Moralità non è solo non rubare («Una novità non da poco che abbiamo introdotto noi»). «La nuova moralità» proclama B. chiudendo la 1ª Festa della Libertà a Milano, il 27 settembre 2009, «è mantenere gli impegni elettorali.»[1]

Una definizione riduttiva che indigna i detrattori, conforta i sostenitori e lascia indifferenti tutti gli altri. In Italia non c'è un voto morale, come non c'è un voto cattolico. C'è un voto dei cattolici, che sono teoricamente la quasi totalità della popolazione ma, all'atto pratico, si dividono in decine di milioni di confessioni religiose individuali, quante sono le coscienze. Coscienze – lo vedremo – abituate all'elasticità come strumento di sopravvivenza. Coscienze che B. conosce molto bene. Ne possiede una, elasticissima, anche lui.

Perché, allora, il Fattore Divino lo ha aiutato nell'ascesa e ne ha assicurato la resistenza in quota? Perché esistono, in Italia, una religione antica, una religione nuova, una religione pratica e una religione disorientata: e spingono nella stessa direzione.

C'è anche un'altra religione – quella che riempie la vita e scalda i cuori – ma è chiusa negli oratori e nei conventi, nelle parrocchie e nelle missioni. Non sa chi votare, ma almeno sa a cosa non credere.

C'è in Italia una religione antica, fatta di tradizione, sensibile all'evocazione, ansiosa di consolazione, legata a una devozione che, in qualche caso, rischia di diventare superstizione.

Il cristianesimo non è più una religione civica, come nell'Italia comunale. Non è più la religione imperiale, come nel Rinascimento. Non è il collante del mondo popolare e contadino, com'è stato fino a metà Novecento. Non è un collettore di voti, come ai tempi della Democrazia Cristiana. Non è nemmeno più una pratica sociale: nel Veneto cattolico (in teoria), la frequenza alle funzioni è crollata dal 75 al 15 per cento in trent'anni. Ma la religione conserva un valore elementare di protezione:[2] e qualcuno l'ha capito molto bene.

I primi accostamenti religiosi coincidono con l'ingresso in politica di B. Compaiono in programmi televisivi destinati a un pubblico che, di politica, s'interessava poco. Il 27 gennaio 1994, una giovanissima e telecomandata[3] Ambra Angiolini conduce *Non è la Rai* su Italia 1. Conversando del Milan con un diavoletto in maglia rossonera, spiega: «Il Padreterno tiene a Berlusconi!». E poi, il 31 gennaio: «Forza Italiaaa! Sì perché Lui, scusatemi, è contento di Forza Italia... Tiene per Forza Italia, il Padreterno. Mentre, come sappiamo, Satana tiene per Occhetto, eh eh scusatemi. Anche per Stalin, ma quello è un tipo veramente strano...».

L'autore e suggeritore, Gianni Boncompagni, minimizza: «Ragazzate, siamo un meraviglioso Paese anarchico». Sarebbe interessante sapere cosa sarebbe accaduto nel meraviglioso Paese anarchico, e al suo programma, se lo scherzoso accostamento fosse stato invertito: il Padreterno per l'avversario, Satana per il proprietario.

Il primo governo Berlusconi, seguito alla vittoria elettorale del 27-28 marzo 1994, viene accompagnato da una serie di citazioni mistiche. Notava Pierluigi Battista: «Dopo aver bevuto l'"amaro calice", dopo aver invocato un nuovo "miracolo" italiano, dopo aver invitato i seguaci a rendere grazie per il "nuovo, magico presente", dopo aver voluto, fortissimamente voluto che nell'inno di Forza Italia si declamasse che "abbiamo tutti un fuoco dentro il cuore", oggi Silvio Berlusconi non indugia a indossare i panni del nuovo Messia: "Chi è scelto dalla gente è come un Unto dal Signore". Un uomo scelto in nome di Dio, che però almeno in questo caso si chiama Popolo: "C'è del divino nel cittadino che sceglie il suo leader"».[4]

I richiami spirituali dell'ex allievo dei salesiani non convincono tutti. Nell'agosto 1994 lo studioso cattolico Vittorio Messori si lamenta così: «Se c'è stato un responsabile della scristianizzazione in Italia, questo è il Cavaliere: le sue reti sono il simbolo di un'umanità per cui Dio non è neppure un'ipotesi».[5] Ma le allusioni religiose continuano, fino a diventare una consuetudine.

Gli anni all'opposizione (1995-2001) diventano «la traversata nel deserto». I sostenitori di Forza Italia vengono invitati «a farsi apostoli della libertà» e «a impegnarsi nell'opera missionaria» perché «questi sono i nostri valori, questo è il nostro credo, questa è la nostra preghiera laica». Ai candidati nelle elezioni europee 2004 viene consegnato il «Credo laico di Forza Italia»: il meglio dei discorsi del leader, ordinati evangelicamente in dodici letture. Nella campagna elettorale del 2006 B. confida: «Io sono il Gesù Cristo della politica, una vittima. Sopporto tutto, mi sacrifico per tutti».[6]

Un'autoironia assente nell'annuncio del «partito dell'amore»,[7] il 26 dicembre 2009; e nello spettacolo allestito in piazza San Giovanni, a Roma, tre mesi dopo. Il presidente del Consiglio raccoglie i candidati-governatori della maggioranza e proclama: «Vi nomino missionari della verità e della libertà per andare a convincere chi ancora non è convinto!». Chiede di mettersi una mano sul cuore e leggere in coro:

> *Di fronte a questo popolo*
> *rappresentativo di tutti i moderati,*
> *nel nome della libertà,*
> *prendo il solenne impegno*
> *a realizzare nella mia regione*
> *in sintonia con il governo nazionale*
> *tutti i punti del patto per l'Italia*
> *presentato oggi*
> *dal presidente Silvio Berlusconi.*[8]

I candidati sono dodici (uno è assente). Lui sta nel mezzo. Leonardo da Vinci potrebbe gridare al plagio. Certo, quella di Roma non è una cena; e comunque non sarà l'ultima.

In Italia c'è una religione nuova.

«Sa, ho qualche dubbio che la gente sia turbata. Temo che anche tra la nostra gente vacilli il sostegno di un giudizio etico forte, sicuro. Viviamo in una società in cui è bravo chi ha fatto i soldi, ha successo, sa attrarre l'attenzione degli altri. Magari c'è chi pensa: beato lui che è diventato ricco, che ha fatto carriera, eccetera. Questi sono gli pseudovalori su cui si giudica. Ho paura che la gente non si scandalizzi. E non vorrei si pensasse a una Chiesa connivente.»

Così Carlo Ghidelli, arcivescovo di Lanciano e Ortona, biblista di fama internazionale, dopo le rivelazioni sulla vita spericolata del capo di governo, che spingeranno il settimanale «Famiglia Cristiana» a parlare di «limite della decenza» superato da un «comportamento indifendibile», e di una Chiesa italiana che «non può ignorare l'emergenza morale».[9]

Certo, non può ignorarla, ma non sembra in grado di contrastarla. La deriva non è solo italiana. Altrove la morale religiosa trova però una sponda nella morale civile. Se in Germania un ministro fosse scoperto con una provvista di soldi all'estero di cui non può giustificare la provenienza, non verrebbe cacciato perché ha peccato. Verrebbe cacciato perché ha rubato.

In Italia questi meccanismi non sono arrugginiti: mancano. Le porte della nostra coscienza si aprono a spinta, e non sempre. L'opinione pubblica sembra considerare la politica un pianeta distante, che segue orbite proprie. Tanti cattolici hanno messo il silenziatore all'indignazione: per stanchezza, per sfiducia, per mancanza di alternative. Alcuni ne approfittano per procurarsi attenuanti preventive. Se l'esempio è quello, cosa pretendete da noi?

In Italia c'è una religione pratica, e sa fare i suoi conti.

Evita, per esempio, di indagare i metodi utilizzati in Libia per fermare i migranti (certo non «l'invito a saper accogliere le legittime diversità umane» di cui parla Benedetto XVI). Non approfondisce i meccanismi di un federalismo fiscale che rischia di aumentare le diseguaglianze tra nord e sud del Paese.[10] Sostiene che occorre «contestualizzare» la bestemmia[11] ed è pronta a sorvolare sullo stile di vita del «presidente puttaniere» – definizione scherzosa dell'interessato[12] – se da lui ottiene ciò che ritiene utile e giusto.

Sganciare le regole dai comportamenti; dire di voler aiutare gli ultimi e chiudere gli occhi sui primi. Il ministro dell'Istruzione Mariastella Gelmini, per provare come il Popolo della Libertà sia il partito più sensibile «alla difesa e alla promozione della persona e della famiglia», dice: «Non è un caso che a guidarlo sia un uomo come Silvio Berlusconi, con una storia da imprenditore nella "bianca Lombardia", attento a iniziative del mondo cattolico (penso al San Raffaele), che ha studiato e si è formato dai salesiani».

Il ministro della Cultura Sandro Bondi cita Benedetto XVI ricordando che «un cristianesimo di carità senza verità può venire facilmente scambiato per una riserva di buoni sentimenti, utili per la convivenza, ma marginali». Bernhard Scholz, presidente della Compagnia delle Opere, una galassia di trentacinquemila imprese legate a Comunione e Liberazione, ammonisce: «La coerenza personale, importante e desiderabile, non è il criterio esclusivo per valutare l'azione politica di chi ci governa. C'è una questione più importante: se la politica lascia libertà alle realtà che lavorano per il bene comune».[13]

Perfino il cardinale Angelo Scola, patriarca di Venezia, pare voler disinnescare l'indignazione dei cattolici: «Diventa necessario liberare la categoria della testimonianza dalla pesante ipoteca moralista che la opprime riducendola, per lo più, alla coerenza di un soggetto ultimamente autoreferenziale».[14] Ci perdoni Sua Eminenza: ma sembra un modo di pensionare la coscienza. Molti italiani l'hanno già fatto; altri, non vedono l'ora.

In Italia c'è una religione disorientata.

Nelle 26.000 parrocchie i fedeli sono sinceramente contrari all'aborto, onestamente perplessi davanti all'eutanasia, francamente contrari a unire in matrimonio due persone dello stesso sesso: cosa votano? In Italia vive più di un milione di divorziati; una parte di loro vorrebbe potersi avvicinare all'eucarestia. Quando vedono B. – divorziato, risposato – che la riceve, durante i funerali di Raimondo Vianello,[15] forse sono disposti a chiudere gli occhi davanti alle sue relazioni spericolate.

Esiste, in Italia, una maggioranza che s'irrigidisce, di fronte alle continue richieste delle comunità islamiche. Sulla questione il centrosinistra divaga, il centrodestra s'inalbera. «Giù dal pero, compagni. Diciamolo: il Gheddafi-show lo vorreste vedere proprio qui in Italia e non solo per un paio di giorni, ma a tempo indeterminato, e in ogni città italiana. Cioè: in nome del vostro concetto sacro della società multi-etnica-culturale e del diritto di culto di chiunque e ovunque, a voi piace da morire l'idea di una moschea non solo a Ground Zero a New York ma anche nel centro di ogni paese italiano.»[16] Così Nicholas Farrell su «Libero». Semplicista? Certo: però efficace.

«Il popolo cattolico» scrive il sociologo Giuseppe De Rita «ha un'emergente capacità di essere post moderno, cioè post industriale, post urbano, post mediatico, anche post secolarizzato.»[17] Tutto vero, probabilmente. Ma dopo la scomparsa della Democrazia Cristiana, questo popolo non ha un tetto politico: di volta in volta cerca un rifugio. B. è lieto d'offrirlo, coltivando l'immagine di uomo della tradizione cristiana.

A *Porta a Porta* – il programma delle sue epifanie – ha preteso di leggere la lettera dell'arcivescovo dell'Aquila in occasione dell'inaugurazione di un asilo, ricostruito dopo il terremoto del 2009: «Il Vangelo condanna chi chiacchiera e non fa concretamente, e lo stesso Vangelo loda chi alle chiacchiere sostituisce fatti concreti».[18] Un gesto verso i cattolici che dubitano di lui o un inchino interessato: dipende dai punti di vista.

Esiste una pancia mistica nazionale, e B. l'ha studiata. Ci sono anche cattolici farisei, cattolici inerti e cattolici incerti, in Italia: e tendono a votare nello stesso modo.

I primi vivono una religione di facciata, e sono felici di non essere i soli.

I secondi tuonano in difesa di non precisati valori della tradizione cristiana, unendosi al coro della Lega padana e pagana.

I terzi sospirano: «Il personaggio ci lascia perplessi, ma il programma è più importante».

«C'è un mondo che usa i princìpi religiosi come un velo per nascondere altro» mi scrive don Michele Falabretti, responsabile della Pastorale Giovanile nella diocesi di Bergamo. «Un mondo che finge di dimenticare come il cristianesimo sia una profonda condivisione di vita, basata sul comandamento dell'amore, e richieda un impegno forte per gli altri. Un mondo di atei devoti che però, con dieci parole, riesce a zittire tutti: "Non voterai i comunisti che sono a favore dell'aborto?!". Berlusconi ha avuto successo perché è stato capace di offrire la risposta più semplice e immediata. La risposta per cui un cattolico può uscire dalla cabina elettorale pensando: almeno non ho rischiato.»[19]

Alzano gli occhi al cielo, parroci e vescovi, quando B., campione di promiscuità, compare al Family Day. Sanno però – come ricordano Ferruccio Pinotti e Udo Gümpel ne *L'Unto del Signore* – che «il Vaticano è apparso determinato a sfruttare l'impronta teocon del governo Berlusconi su temi come l'aborto, il divorzio, la procreazione assistita, le unioni civili e il testamento biologico».[20] Anche di questo, nelle diocesi, devono tener conto.

Ma accontentarsi di leggi e di omaggi è una buona strategia? L'alleato è ormai un concorrente: per molti italiani, l'idolo di un'altra fede, edonistica e mondana. Se la trinità terrena – come sospetta monsignor Ghidelli – è diventata soldi-successo-potere, B. ha i titoli per diventarne il profeta. Non è, come sosteneva Gianni Baget Bozzo, «il vero leader morale dei cattolici»,[21] non ha «innalzato il livello etico della politica» (e non sarebbe stato difficile). È invece «un dono di Dio all'Italia»,[22] come ha ripetuto don Verzé tra le guglie del Duomo di Milano.

Tutto sta a capire cos'avessero in mente lassù. Se volessero darci un aiuto o metterci alla prova.

3

Fattore Robinson

*Basta con questo clima giacobino e giustizialista. Impe-
dirò il ritorno a un passato che gli italiani non vogliono più.*[1]

Non è una necessità storica e non è un'inevitabile conseguenza del nostro carattere nazionale. B. è il frutto di
un'intuizione: la sua. Ha capito la solidarietà con chi ci
prova, l'ammirazione per chi ci riesce, la diffidenza verso
l'autorità, l'indulgenza per l'imputato, l'abilità – tutta
italiana – a intrufolarsi nell'intercapedine tra alti princìpi e bassi interessi.

Ognuno di noi si sente Robinson Crusoe. Lo Stato,
misterioso e inospitale, è la spiaggia su cui dobbiamo sopravvivere (le leggi inutili, le procedure infinite, le impo-
ste asfissianti). Ogni tanto ci imbattiamo nelle orme di
Venerdì sulla sabbia: qualcuno è stato più veloce di noi.

Un individualista ricco e famoso non deve spiegare le
virtù dell'individualismo. Fin dall'infanzia di Forza Italia, nel 1993, B. ha nazionalizzato i princìpi della destra

conservatrice inglese, cari a Giuliano Urbani, il primo a suggerirgli l'idea di un partito che si contrapponesse alla sinistra, dopo il crollo di Dc e Psi. Il motto thatcheriano «Meno Stato, più mercato», nel viaggio tra Londra e Milano, si è semplificato: liberi tutti.

Liberi di fare, disfare, invocare, inventare, ignorare, aggirare, interpretare le norme secondo coscienza e convenienza. Forte del successo privato, B. ha costruito sulla sfiducia verso ciò che è pubblico e condiviso, sull'insofferenza verso le regole, sull'intima soddisfazione nel trovare una soluzione individuale a un problema collettivo.

In Italia non si pretende – insieme e con forza – un nuovo sistema fiscale, equo ed efficiente. Si aggira quello esistente. Sebbene in seguito l'abbia negato, in una conferenza-stampa del 17 febbraio 2004 B. ha affermato: «Se lo Stato mi chiede il 50 per cento e passa, sento che è una richiesta scorretta. Mi sento moralmente autorizzato a evadere per quanto posso».[2] In America sarebbe un'affermazione sovversiva; in Italia diventa un'ammissione ovvia e un po' tardiva.

L'anomia iper-regolata – assenza di norme condivise, abbondanza di regole inutili – è il mare in cui andiamo alla deriva. La risposta nazionale, nel corso del tempo, ha preso diversi nomi – arrangiarsi, cavarsela, tirare a campare – e prodotto molti silenziosi inviti: trova un accomodamento, datti da fare, aiutati che il ciel t'aiuta. Ma il cielo è stanco di occuparsi di noi italiani.

Così ci ha pensato Berlusconi.

Prima che un'emergenza giudiziaria, sembra una deriva antropologica. Chi sono questi nuovi, famelici italiani che oggi riempiono le cronache? Da dove sbucano? Corrotti e corruttori ci sono sempre stati. Ma avevano – gli uni e gli altri – la consapevolezza della propria differenza, una sfumatura di vergogna che non li assolveva, ma contribuiva a spiegarli.

Oggi sono inspiegabili. Sembrano compiaciuti. Sorridono e parlano d'altro. Occupano amministrazioni locali, uffici professionali, aziende sanitarie, seggi parlamentari, posti di governo, incarichi universitari, servizi pubblici. Sono pronti a vendersi per una carica o un appartamento. A incoraggiarne le attività è la sensazione di impunità. A puntellarne l'amor proprio – più delle ricchezze conquistate, che spesso non possono essere godute, per non svelarsi – è la sensazione d'essere stati abili. A placarne la coscienza, la convinzione che così fan tutti; e, se non tutti, molti.

Creare un esercito di correi, anche quando le colpe sono – al confronto – poca cosa. Instillare il timore d'essere scoperti, contando sul senso di insicurezza di una nazione abituata – decisa, costretta: scegliete voi l'aggettivo – a convivere con l'illegalità. Arruolare chi non ha dichiarato l'affitto della casa al mare, e tutti quelli cui al telefono è sfuggito d'aver ricevuto un pagamento in contanti: attenzione, domani potrebbe toccare a voi. Sostituire Mani Pulite con Bocche Cucite: un capolavoro di chirurgia politica.

Domanda un lettore, che si firma Jimmy Vescovi: «Conoscete il fenomeno del "subappalto" delle tesi di laurea? Chi scrive è un *ghostwriter* dei laureandi, con all'attivo oltre 60 tesi svolte in materie non esattamente complementari. "Svolte" significa: ideate, scritte, corrette. Ho ricevuto richieste anche da studenti delle superiori, ma ho rifiutato: mi era stato chiesto di usare un linguaggio molto semplice, lasciando qua e là anche degli errori (sic!). Sapete che ci sono genitori che per il compleanno del figlio gli regalano il pacchetto completo: 3 esami + laurea?».[3]

Si potrebbe suggerire a Jimmy V. di cambiar mestiere, se non vuole essere complice di un imbroglio: la laurea è un titolo di studio con valore legale. Ma è più urgente concentrarsi sui committenti. Farsi scrivere la tesi e presentarla come propria, infatti, non è solo scorretto: è un reato. E finanziare quest'operazione non è solo sbagliato: è una follia. Pensateci: papà e mamma vanno in banca a ritirare i contanti per comprare il lavoro di un estraneo e regalare la pigrizia ai figli. Che magnifica lezione di vita.

Molti italiani hanno perso la percezione della gravità delle proprie azioni; hanno smesso di pensare questo è bene/questo è male. E se vengono scoperti? Sono indignati: ma come, per così poco? I cattivi esempi dall'alto non bastano a spiegare certi comportamenti. Se queste cose accadono significa che nella società civile italiana s'è spento qualcosa. O forse non s'è mai acceso.

Nelle università europee chi copia durante un test viene svergognato: è questo il deterrente. Gli studenti dei college americani si portano le prove di valutazione a casa, impegnandosi sul proprio onore ad affrontarle senza aiuti. Da noi ci sono genitori che comprano la tesi di laurea per i figli; o gli spiegano come aggirare il test d'ingresso a medicina e il concorso per avvocato. E se i ragazzi vengono scoperti? Be', li aiutano a presentare ricorso.

«Che bello essere italiani» sospirava un personaggio di Giovanni Arpino in *Azzurro tenebra*. «Perdonano e si perdonano tutti i vizi. Comprendono. Sono gli inventori delle attenuanti.»[4]

Inventori, maestri e cultori: trovare giustificazioni è la nostra specialità. Le delusioni ci hanno costretto alla diffidenza, ma non abbiamo rinunciato a periodici slanci rivoluzionari. Berlusconi – come Mazzini e Mussolini – l'ha intuito. Ma se Giuseppe ha sognato nobilmente un'Italia nuova, e Benito ha tentato velleitariamente di costruirla, Silvio non ci ha nemmeno provato. Quasi subito ha capito che l'unica rivoluzione tollerabile, per la maggioranza degli italiani, era quella che non rivoluzionasse niente.

Scrive Bill Emmott, a lungo direttore dell'«Economist» (1993-2006) e autore di *Forza, Italia*, un viaggio tra le cose buone e meno buone del nostro Paese:

> La Mala Italia è di certo italiana, ma non è l'Italia nel suo complesso, perché è interamente una questione di egoismo. Si tratta in primo luogo di corruzione e criminalità, chiaro, ma anche e più specificamente dell'impulso a cercare di ottenere il potere per abusarne nel proprio interesse, ad accumularne sempre di più per ricompensare amici, famiglia, portaborse o partner sessuali, senza tener conto di meriti o capacità. [...] Conosco il tema dell'ambivalenza radicata in ogni italiano, la convinzione che le leggi debbano essere fatte rispettare e obbedite, che le tasse vadano pagate: dagli altri. Ma la Mala Italia va oltre. Il suo tipo di egoismo implica un disinteresse distruttivo particolare e perfino intenzionale verso qualsiasi tipo di comunità allargata

o, soprattutto, di interessi, istituzioni, leggi e valori nazionali.[5]

Piegare le regole, aggiustare concorsi, trovare scorciatoie, ottenere favori che vanno oltre la cortesia: se viene fatto in aiuto del proprio gruppo – famiglia, movimento, associazione, categoria – il sentimento comune tende a giustificarlo. Il «familismo amorale», studiato negli anni Cinquanta dall'antropologo americano Edward Banfield, esiste e resiste. «L'incapacità degli abitanti del villaggio di agire insieme per il bene comune»[6] è ancora una caratteristica italiana. Confortata dalla scarsità di reprimende e dall'assenza di conseguenze, la società civile ha soltanto cambiato nome ai propri vizi. Ora li chiama: consuetudini.

È normale che B. sia orgoglioso dei figli e pensi al loro futuro (Marina alla Mondadori, Piersilvio a Mediaset, Barbara forse al Milan, gli altri due si vedrà). È bizzarro che li consideri l'autorizzazione a ignorare il proprio colossale conflitto d'interessi.

«Per spiegare nel corso degli anni perché non avesse venduto il suo impero mediatico, Berlusconi ha detto in più occasioni: "Non me lo posso permettere, ho cinque figli". A un osservatore straniero questa apparirebbe come un'affermazione insensata: un premier che ignora il bene generale della nazione per gli interessi della propria famiglia», scrive Alexander Stille. La cosa sembra meno strana ai milioni di italiani che possiedono attività economiche e intendono lasciarle in eredità ai figli, conclude l'autore di *Citizen Berlusconi*.[7]

B. sostiene, fin dall'esordio in politica, che il suo conflitto d'interessi è sanato alle urne: «Gli italiani sanno chi sono e cosa possiedo, e mi votano comunque».[8] Giuridicamente, non ci siamo: gli italiani, a ogni elezione, scelgono come formare il Parlamento, non di dimenticare un problema. Logicamente, nemmeno: potremmo chiederci se quel consenso è del tutto libero, visto che al centro del conflitto d'interessi ci sono i media.

È vero, tuttavia, che la classe dirigente italiana non se n'è mai occupata. Se svolgeva attività politica, non voleva norme che avrebbero imposto limiti all'attività economica; se svolgeva un'attività economica, non voleva norme che avrebbero imposto limiti all'attività politica, scrive Sergio Romano.[9] L'opinione pubblica è apparsa altrettanto disinteressata. Forse perché l'Italia, non da oggi, galleggia in un brodo di conflitti d'interesse.

Tolleriamo assessori legati ai costruttori, esaminatori colleghi degli esaminandi, ordinari parenti dei ricercatori, medici agli ordini delle ditte farmaceutiche, appaltatori soci degli appaltanti, insegnanti che danno lezioni private agli alunni, redattori titolari di uffici-stampa. Perché dovrebbe destare scandalo, un politico controllore dei media che dovrebbero controllarlo?

Quindi, avanti così. Noi tolleriamo lui, e lui giustifica noi.

Neppure le norme per uso personale hanno destato lo scalpore che sarebbe lecito aspettarsi in una democrazia. Lo stesso Sergio Romano, in un editoriale del «Corriere della Sera», cita «la raccolta di leggi (tutte sottoscritte e votate anche dai seguaci di Gianfranco Fini) che non avevano altro obiettivo che quello di risolvere i problemi di una singola persona». Perfino un esegeta bendisposto come Giuliano Ferrara ha dovuto ammetterlo: «È chiaro che Berlusconi non ha mai voluto superare la sua anomalia, che è anche la sua identità».[10] Aggiungendo: «Non ha senso rimproverargli di badare ai propri affari, cioè di difendere se stesso dai magistrati d'assalto e la sua roba da sentenze che vorrebbero smembrarla a tavolino [...]. Gli affari del signor Berlusconi sono gli affari della nazione. Punto e basta».

Risultato: gli italiani, da molti anni, assistono allo spettacolo di un uomo che usa i poteri pubblici anche per curare gli affari privati. Sorvoliamo sui condoni fiscali ed edilizi, la cancellazione dell'imposta di successione, le nuove norme sulla previdenza complementare e il decreto salvacalcio, da cui B. ha tratto vantaggi, ma non è stato il solo.

Tralasciamo le leggi 350/2003 e 311/2004, che stabilivano un incentivo statale per l'acquisto dei decoder in vista del digitale terrestre, di cui ha beneficiato soprattutto la società Solari.com di Paolo Berlusconi; il decreto legge 352/2003 che ha permesso a Rete 4 di continuare a trasmettere in analogico fino al 2010; la legge Gasparri 112/2004, che cambiando il metodo per il calcolo dei ricavi ha favorito Mediaset; la legge 185/2008 che ha aumentato l'Iva dal 10 al 20 per cento al principale concorrente privato, Sky Italia;[11] il decreto legge 40/2010 che ha consentito a Mondadori di chiudere, con una transazione da 8,6 milioni di euro, un contenzioso con l'Agenzia delle Entrate per 173 milioni di tasse evase, diventati 350 milioni per mancati versamenti, sanzioni e interessi.[12]

Restano la legge sulle rogatorie internazionali (367/2001), che ne rende più difficile l'utilizzazione come prove; la depenalizzazione del falso in bilancio (61/2001); la legge Cirami sul legittimo sospetto quale causa di ricusazione del giudice (248/2002); il lodo Schifani sull'immunità delle cinque più alte cariche dello Stato (140/2003, poi dichiarato incostituzionale dalla Consulta, sentenza 13/2004); la legge ex Cirielli (251/2005) che ha portato all'estinzione per prescrizione dei reati di corruzione in atti giudiziari e falso in bilancio nei processi «Lodo Mondadori», «Lentini», «Diritti Tv Mediaset», nei quali B. era imputato; il lodo Alfano (124/2008), che sospendeva il processo penale per le alte cariche dello Stato (e che prima di essere dichiarato incostituzionale, sentenza 262/2009, ha permesso a B. di uscire temporaneamente dal processo Mills).

Tra il 2009 e il 2010, infine, la maggioranza di governo ha cercato di introdurre il cosiddetto «processo breve». Nome accattivante, nella terra dei processi infiniti. Una norma transitoria applicherebbe però la legge – un'amnistia mascherata[13] – ai processi in corso. Compresi quelli dove B. è imputato.

Per rendersi conto dell'inopportunità di queste iniziative, bisogna capirle; perché il pubblico le capisca, è necessario che qualcuno gliele spieghi; per spiegarle, occorre avere spazio in televisione: e di spazio in televisione, ovviamente, ce n'è poco. C'è chi si accontenta della spiegazione di Fedele Confalonieri, presidente di Mediaset, per cui l'amico Silvio è vittima delle circostanze: «Se ci sono leggi ad personam è perché ci sono sentenze ad personam».[14]

Molti italiani, tuttavia, non hanno bisogno di alcuna giustificazione.

Chi può, fa. Chi non fa è perché non può.

«Nel consorzio delle nazioni europee noi siamo giunti tra gli ultimi, e ci siamo dati un'organizzazione moderna con un ritmo accelerato e forzato per raggiungere quel livello al quale gli altri erano arrivati naturalmente, per evoluzione intrinseca» così scriveva nel *Carattere degli italiani*[15] Silvio Guarnieri (curioso personaggio: padre notaio, famiglia cattolica, comunista fideistico, frequentatore del caffè Giubbe Rosse di Firenze, amico di Carlo Emilio Gadda ed Elio Vittorini).

Certo: vuol dire prenderla alla lontana. Ma se non partiamo da qui, non riusciremo a spiegare l'assenza o la tiepidezza di certe reazioni. Una tradizione di sudditanza verso il potere (Fattore Medici), che sa rappresentarsi abilmente (Fattore Truman) e sfrutta diffidenza e autosufficienza: Fattore Robinson, appunto. La combinazione ha prodotto la fantasia che affascina il mondo, e il cinismo che lo lascia perplesso.

All'estero non capiscono, per esempio, come noi accettiamo i tempi della giustizia. Nei tribunali italiani, si legge in una nota del Consiglio d'Europa, sono pendenti cinque milioni e mezzo di processi civili e oltre tre milioni di processi penali; l'attesa per una sentenza civile è in media sei anni e dieci mesi.[16] Le procedure giudiziarie diventano così alleati naturali di B.: gli consentono di presentarsi come vittima reale a un pubblico di vittime potenziali. («Nella magistratura c'è un'associazione a delinquere!», «Faremo la riforma della giustizia per i cittadini e i giudici onesti.»)[17] Alcuni vedono la differenza, molti provano solidarietà. Molti sono più di alcuni, e chi ci comanda lo sa.

Anche B. ha in mente una comunità civica nazionale, in cui i cittadini «vedono la realtà come qualcosa di più di un campo di battaglia dove si lotti solo per ottenere vantaggi personali»,[18] e la propone agli elettori. Ma non è la conseguenza di un progetto; piuttosto un derivato dei sogni del leader, un automatismo in cui a nessuno viene chiesto di sacrificare qualcosa per un vantaggio reciproco.

Certo: molti italiani, per il bene comune, si danno da fare. Il volontariato è trasversale agli schieramenti. Movimenti e associazioni raccolgono persone di ogni orientamento politico. C'è chi non vota B. e ne adotta i silenziosi inviti all'individualismo spinto; e chi lo vota, convinto che, avendo pochi ideali, sia il leader ideale per chi ha molti ideali.

Non predica, non sollecita, non giudica: vive e lascia vivere. Solo che lui, tra sospetti e processi, non vive bene; e noi potremmo vivere meglio.

4

Fattore Truman

Quanti quotidiani si vendono ogni giorno in Italia, se escludiamo quelli sportivi?
Più o meno cinque milioni.

Quanti italiani entrano regolarmente in libreria?
Più o meno cinque milioni.

Quanti telespettatori seguono Sky Tg24 e Tg La7?
Più o meno cinque milioni.

Quanti scelgono *Annozero* oppure *Ballarò* in prima serata?
Più o meno cinque milioni.

Quanti guardano i programmi d'approfondimento in seconda e terza serata?
Più o meno cinque milioni.

Quanti sono i visitatori quotidiani dei siti d'informazione?
Più o meno cinque milioni.

Quanti accedono a Internet via smartphone/cellulare/palmare?
Più o meno cinque milioni.

Quanti fanno acquisti con e-commerce?
Avete indovinato: cinque milioni, più o meno.[1]

Il sospetto è che siano sempre gli stessi. Cinque milioni. Chiamiamolo il Five Million Club, visto che molti iscritti dicono di sapere l'inglese. È importante? Certo, ma meno di quanto si pensa. È decisivo? Be', decide il tono e il corso del dibattito nazionale. Ma non decide le elezioni.

Nel club ci sono filogovernativi e antigovernativi; liberi pensatori e pensatori a gettone; liberali, liberisti, libertari e libertini (parecchi). La sinistra intellettuale adora il Five Million Club: ci sguazza come un labrador in una marcita. Anche la destra di lotta e di governo ama frequentare il club, e si diverte. Però, a differenza degli avversari, ha capito che il destino politico si determina altrove. Per esempio, in televisione. Più precisamente: televisione in chiaro, dalle 19 alle 21.

Il rito serale del telegiornale, anche in tempi di digitale terrestre e moltiplicazione dei canali, raccoglie quasi 20 milioni di telespettatori. Certo, è un impatto calante.[2] Ma stiamo parlando, comunque, di due quinti della popolazione maggiorenne: un bel numero, che ingolosisce qualsiasi forza politica. Poniamo che si voglia enfatizzare la criminalità, quando governano gli avversari; e si intenda minimizzarla, una volta al governo. Il telegiornale serale è il modo e il posto per farlo.

Guarda caso, è accaduto. Dati alla mano, scrive Michele Polo in *Notizie S.p.A.*, «l'intensità delle notizie sulla criminalità si è mantenuta a livelli fisiologici durante la campagna elettorale 2006, quando il centrodestra era al governo, mentre ha conosciuto una forte drammatizzazione, guidata dai telegiornali del gruppo Mediaset, dopo l'insediamento del centrosinistra. E un successivo allentamento dell'attenzione giornalistica dopo la nuova vittoria elettorale del centrodestra nel 2008».[3]

E chi guida il centrodestra? Chi possiede la quasi totalità della televisione privata, dagli anni Ottanta, e oggi controlla gran parte della televisione pubblica, in quanto capo di governo? Chi è editore di importanti periodici e presto potrebbe esserlo dei maggiori quotidiani?[4] B., secondo cui tutto questo non è un problema. «Non venderò mai le mie televisioni» e «Conflitto d'interessi? La miglior garanzia sono io»:[5] così ha detto il 1° e il 18 aprile 1994, appena insediato a Palazzo Chigi. Da allora ha pronunciato centinaia di dichiarazioni, commenti, rassicurazioni e promesse sulla questione. Ma, di fatto, da lì non s'è mosso. Non vende, e dice che non c'è problema.

Gli stranieri che vivono in una democrazia, senza distinzioni geografiche e politiche, restano sorpresi. Scrive lo storico inglese David Gilmour in *The Pursuit of Italy*, di prossima uscita presso Penguin (2011):

> È spiacevole che un singolo individuo, in una democrazia, possa controllare quasi l'intera produzione del più importante settore dei media nazionali. Berlusconi considera la nozione di televisione indipendente come semplicemente ridicola. Dopo esser diventato primo ministro nel 1994 dichiarò che sarebbe «anomalo» per

un Paese avere una televisione pubblica che non appoggia il governo eletto dal popolo.[6]

B. parla di «giornalismo buono» (la televisione) e «giornalismo cattivo» (i giornali):[7] salvo scagliarsi contro programmi come *Annozero* che, secondo un ministro in carica, «nelle ultime elezioni ci è costato seicentomila voti».[8] Come i predecessori a Palazzo Chigi, l'attuale presidente del Consiglio considera la Rai bottino di guerra; e il fatto di possedere tre reti private – come abbiamo visto – non lo disturba. Resta da capire perché non disturbi la maggioranza degli italiani.

Non viviamo nel *Truman Show*. Non siamo una nazione di Jim Carrey, ignari di cosa succede. Diciamo però che una regia esiste, e non è quella di Peter Weir.[9]

Se il Tg4 e *Studio Aperto* sbandierano l'appoggio per il proprietario e il capo di governo, felici che siano la stessa persona, altri meccanismi di persuasione sono più sottili.

È bastato che il Tg La7 di Enrico Mentana, nell'estate 2010, introducesse immagini uguali per tutti, e il capo dell'opposizione, Pier Luigi Bersani, ha smesso di apparire un fumetto sudato, schiacciato dai microfoni e incapace di un pensiero compiuto; mentre il presidente del Consiglio, senza le provvidenziali inquadrature dal basso, è apparso improvvisamente meno alto e meno magro.

Certo si possono perdere le elezioni anche controllando la televisione: a B. è accaduto, nel 1996 e nel 2006. Ma, senza quel controllo, magari avrebbe perso di più o perso peggio.

Minimizzare la corruzione, nascondere l'imbarazzo, tacere problemi e malefatte: la Tv è importante per le notizie che non dice, per le domande che non pone, per le critiche che non offre, per le denunce che non fa; per i personaggi che crea, mantiene, distrugge o dimentica.

Non fosse così, non si capirebbero la stretta di Vladimir Putin sulla Tv russa, le attenzioni di Nicolas Sarkozy per quella francese, i litigi di Tony Blair con la Bbc; e neppure il comportamento dei politici americani. Alla vigilia di ogni voto, come ha ricordato Al Gore,[10] acquistano spazi per milioni di dollari sui network televisivi, consapevoli che trenta secondi all'ora giusta possono fare la differenza.

La televisione, in una democrazia, conta. Chi sostiene il contrario – chi ritiene che non incida nella formazione del consenso – è un furbo o un ingenuo. Un'analisi del Censis (*Elezioni 2009: come si sono informati gli italiani*) rivela:

> durante la campagna elettorale per le Europee, il 69,3 per cento degli elettori si è informato attraverso le notizie e i commenti trasmessi dai telegiornali per scegliere chi votare. I Tg restano il principale mezzo per orientare il voto, soprattutto tra i meno istruiti (il dato sale, in questo caso, al 76 per cento), i pensionati (78,7 per cento) e le casalinghe (74,1 per cento).

Perché questo smuova la coscienza civile, tuttavia, occorre parlarne in televisione. Ma non è possibile: chi controlla la televisione non ama che si parli di televisione in televisione. E se anche fosse possibile, diciamolo: la nostra coscienza manca di allenamento.

Silvio Berlusconi è nato a Milano, quartiere Isola, il 29 settembre, lo stesso giorno di Pier Luigi Bersani: non è un alieno, come amano far credere gli avversari, per mascherare la propria incapacità (il centrosinistra, quand'è stato al governo, non ha approvato una legge che regolasse il conflitto d'interessi e liberasse la Rai dalle ingerenze dei partiti). Come abbiamo cercato di spiegare, B. riprende, amplifica e condona atteggiamenti diffusi. L'idea che giornali e televisione debbano essere indipendenti è considerata, in Italia, un'ingenuità, un'illusione o un'ipocrisia. E noi non amiamo mostrarci ingenui o illusi. Ipocriti, si può discuterne.

La maggioranza non crede che i media siano un contropotere, indispensabile in una democrazia. Se un moderno Thomas Jefferson sbarcasse a Napoli o a Palermo, e ripetesse «Dovessi scegliere tra un governo senza giornali e giornali senza un governo, non esiterei un momento a scegliere questa seconda soluzione!», gli risponderebbero: siamo disposti a rinunciare all'uno e agli altri, basta che ci portiate via l'immondizia. Se qualcuno osasse ripetere, a Milano o a Roma, l'opinione di H.L. Mencken, secondo cui «il giornalismo sta ai politici come un cane sta a un lampione»,[11] si sentirebbe dire che il lampione va sostituito con l'osso. Se il cane scondizola, ha più probabilità di ottenerlo.

B. si limita a recitare, con minori scrupoli e maggiore competenza, un copione già visto: chi governa controlla la televisione, lasciando agli avversari qualche programma simbolico. Il rischio che la proprietà della Tv privata, in caso di vittoria della destra, si sommasse al controllo della Tv pubblica, s'è rivelato un concetto troppo difficile per le teste pensanti della sinistra italiana. Figuriamoci per chi deve preoccuparsi delle rate del mutuo.

Non solo: i media stanno affermandosi dovunque come arma di lotta politica. La brillante e faziosa Fox News, schierata coi repubblicani, sta sfondando in America; non la classica Cnn. Solo la Bbc, il «Financial Times» e l'«Economist» sembrano non avere amici e nemici a scatola chiusa, in Gran Bretagna. In Italia non dobbiamo neppure rinunciare a una tradizione. La scelta di battersi per la propria parte contro un avversario – lo vedremo – ci è familiare e congeniale.

Chi ama B. somiglia, in questo, a chi lo detesta: vuole essere rassicurato nelle sue convinzioni. Vale per i giornali e vale per i telegiornali: il grande pubblico non ama i dubbi, col cappuccino e a cena. Il senso critico italiano paga la giovane abitudine alla democrazia e l'antica pratica alla partigianeria. La massa, come il pubblico del *Truman Show*, non vuole obiezioni, ma conferme. Non chiede problemi, ma una trama. Non cerca informazione, ma intrattenimento. Senza capire che non è spettatrice, stavolta. Recita.

Il trentenne Truman Burbank, protagonista di *The Truman Show*, non si rende conto che la sua vita, fin dalla nascita, è al centro di un colossale *reality show*, ripreso in diretta e visto da milioni di spettatori. Seahaven, la graziosa cittadina dove vive, è un immenso studio televisivo. Amici e conoscenti sono attori, e la produzione controlla tutto e tutti: incontri, amicizie, amori, lavoro, inconvenienti e tempo libero.

Seahaven in realtà si chiama Seaside. È una località della Florida, sul Golfo del Messico, a metà strada tra Fort Walton Beach e Panama City. Un luogo idilliaco, case celesti e pontili bianchi, una fantasia immobiliare uscita dalla mente del costruttore Robert Davis, che la realizzò nel 1979 secondo i criteri del New Urbanism sui terreni ereditati dal nonno, riproducendo i propri ricordi d'infanzia. Il motto della città, ora consegnata ai ricchi vacanzieri d'America, è vagamente orwelliano – *More than a way of life, a way of living!* (Più che un modo di vita, un modo di vivere!) – e il fatto d'essere servita come set cinematografico non è pubblicizzato. Nella casa di Truman Burbank/Jim Carrey abita una famigliola che sorride al visitatore curioso ma, è chiaro, non ama la curiosità e rinuncerebbe volentieri alla visita.

Cosa c'è di *trumanesco*, nell'Italia di oggi? Il tentativo di convincerci che tutto va per il meglio, per esempio. «Ci sono due tipi di realtà» ha spiegato B. «C'è quella vera, della gente, della gente comune; e la realtà che i giornali descrivono, che non è la realtà ma pura fantasia.»[12] Qualcuno dirà: è il ritornello di ogni governo al mondo! Vero. Ma il tentativo italiano è più insidioso: il regista, infatti, sa quel che fa.

B. non è un dittatore, e non utilizza i metodi delle dittature. Sogna davvero un'Italia color pastello; per averla, pittura quella in bianco e nero. Vorrebbe un Paese di famiglie felici e figli obbedienti, città operose e aziende floride, trasporti rapidi e servizi efficienti, come quello raccontato nel video *Meno male che Silvio c'è*.[13] Un'Italia impossibile da ottenere senza sacrifici collettivi. Ma per quelli c'è tempo: chi li chiede potrebbe risultare sgradito.

«A colpi di parole, slogan, barzellette, storielle e promesse, da quindici anni a questa parte il Cavaliere è riuscito a incantare gli italiani, ipnotizzandoli con la terapia mediatica e predicando ai quattro venti l'ottimismo, la fiducia, l'aspettativa di un futuro migliore. E finora la maggioranza gli ha creduto come si crede a un profeta, a un guru, a un santone» scrive Giovanni Valentini.[14]

Demagogia? Siamo di fronte a un uomo che «parla per compiacere i suoi ascoltatori, e li tiene in pugno accarezzando i loro peggiori pregiudizi e le loro peggiori passioni»?[15] Non proprio: il demagogo è un retore, B. come abbiamo visto è un regista. Prepara il set dove i personaggi si muoveranno. Teoricamente liberi di improvvisare, in pratica indotti a recitare secondo un copione scritto nelle loro abitudini.

Se la sceneggiatura si dimostra meno malleabile degli attori, non è un problema: si cambia. I media di proprietà sono costantemente impegnati a fornire un'immagine di ottimismo, efficienza e competenza. Se il Tg4 si collega con l'inviato al G8 dell'Aquila, non chiederà quali sono stati i costi dello spostamento dall'isola della Maddalena. La domanda sarà invece: «Due miracoli sono già stati compiuti: l'emergenza dei rifiuti a Napoli, l'organizzazione di questo G8. Quale sarà il terzo miracolo?».[16]

L'uomo politico si difende con i mezzi dell'imprenditore, e l'imprenditore si protegge con gli strumenti della politica. Com'era nel principio, ora e sempre.

Nel 1995 un referendum proponeva il limite di una rete televisiva per ogni privato, il divieto di interruzioni commerciali durante i film, un tetto per la raccolta pubblicitaria. La reazione è stata immediata e furibonda.

Mike Bongiorno, Fiorello, Gerry Scotti, Alberto Castagna, Valeria Marini, Marco Columbro, Lorella Cuccarini, Ezio Greggio. Ma anche Enrico Mentana, Antonio Di Pietro, il bombardamento di Baghdad durante la guerra del Golfo, Papa Wojtyla, la stretta di mano Rabin-Arafat, i carri armati a Pechino. E brandelli di fiction: *Ghost, Twin Peaks, Dallas, Uccelli di rovo, La signora in rosso*. Accompagnati dalle note di Louis Armstrong. Poi d'improvviso un'interferenza cancella musica e immagini. Lo schermo rimane nero. Alcuni secondi. E appare una scritta «1980-1995. In questi quindici anni nella tua vita hai avuto qualcosa in più. Canale 5, Italia 1, Rete 4. Lascia che ci siamo. Meglio poter scegliere». È il promo di novanta secondi (voluto da Fedele Confalonieri, ideato da Giorgio Gori e Davide Rampello) che la Fininvest ha lanciato ieri alle 18.05 su Canale 5 e che andrà in onda nei prossimi giorni anche sulle altre reti.[17]

Nel 2004 – nove anni dopo – Marco Follini, ringalluzzito dal risultato del partito (Udc) nelle amministrative, ha osato difendere la par condicio, invisa al presidente del Consiglio, ed è finita così, nel racconto di Bruno Vespa:

FOLLINI: «... Resto trasecolato vedendo che tu, Silvio, metti al primo posto la par condicio.»
BERLUSCONI: «È un tema fondamentale, perché mi ha fatto perdere quattro punti alle elezioni. Tu, Marco, sei strapresente sulle reti Rai. Non puoi essere così egoista da impedire agli altri partiti di pagarsi il loro spot.»
FOLLINI: «È vero, in Rai sono presente, e meno male. Pensa che, nei mesi di gennaio e febbraio 2004, sono

stato presente nei telegiornali Mediaset per 42 secondi.»

BERLUSCONI: «Almeno Mediaset non ti attacca...»

FOLLINI: «Vorrei pure vedere...»

BERLUSCONI: «Continua così e vedrai...»[18]

Da allora Marco Follini è praticamente scomparso dai teleschermi italiani, come altri personaggi transitati, a vario titolo, nel centrodestra e non più graditi: il leader referendario Mario Segni, gli ex ministri Rocco Buttiglione e Beppe Pisanu, Antonio Martino e Ferdinando Adornato, Paolo Guzzanti e Bruno Tabacci.

Nel 2009, per aver condannato pubblicamente la vicenda delle prostitute a Palazzo Grazioli (eufemismo ufficiale: escort), il direttore del quotidiano cattolico «Avvenire» è stato attaccato dal «Giornale» di Vittorio Feltri – proprietà della famiglia Berlusconi – e costretto alle dimissioni. Un titolo: *Boffo, il supercensore condannato per molestie.*[19]

Nel 2010 l'edizione principale del Tg1 di Augusto Minzolini ha ripreso per quasi due mesi un'inchiesta dello stesso quotidiano su un appartamento del partito finito in affitto al fratello di Elisabetta Tulliani, compagna del presidente della Camera Gianfranco Fini, espulso dal Pdl. È strano che un esperto attore politico come lui non abbia sentito la voce da dietro le quinte: «Avanti il prossimo».

La regia decide, ma Truman non lo sa.

Perché quest'uso dei media non scandalizza l'elettorato? Perché pochi si chiedono: è normale che chi critica il governo venga lapidato dai media controllati dal capo del governo? Forse perché i giornali italiani, in passato, non hanno esitato a condurre battaglie per il padrone di turno? Il Partito Comunista, per esempio, ha sempre usato il quotidiano «l'Unità» come strumento di lotta politica. Lo stesso ha fatto, a destra, il «Secolo d'Italia». C'è una differenza, però. Quei giornali erano corvette, mentre B. dispone di una flotta: portaerei, corazzate e sommergibili che sparano siluri.

Non occorre controllare ogni trasmissione televisiva: i controllati si controllano da soli. Quando il Mago Silvan ha proposto bonariamente di «prestare la bacchetta magica a Berlusconi» per affrontare il dopo-terremoto in Abruzzo la conduttrice di *Domenica In*, Lorena Bianchetti, ha reagito allarmata: «Volevo dire una cosa... perché la tua battuta era assolutamente personale... io invece voglio cogliere l'occasione per ringraziare le istituzioni che sono veramente molto presenti sul campo...».[20]

In un programma d'informazione notturno, seguito solo dal Five Million Club, non sarebbe accaduto. In un programma pomeridiano e popolare, è successo.

Gli italiani pretendono prodigi da chi li comanda: è un modo per rimandare sforzi, rinunce e ammissioni. Per questo, negli ultimi novant'anni, ci siamo trasformati in fascisti senza esserlo, in antifascisti senza crederci, in democristiani senza ammetterlo, in socialisti senza fidarci, in referendari senza capirlo, in berlusconiani senza accorgerci.

B. ama essere considerato l'uomo dei miracoli; tutt'al più, è disposto a condividere la reputazione con Altri. Offre la terra promessa, che è sempre oltre l'orizzonte: non si raggiunge mai, e non può deludere. Per far questo il profeta deve farsi non solo regista, ma anche sceneggiatore, scenografo e direttore della fotografia. Ci sono infatti riflettori da spegnere e sfondi da accendere, per convincere il pubblico che è sempre l'alba di un bellissimo giorno.

Perché parlare della criminalità organizzata, se mette la gente di malumore? Solo perché il ministro dell'Interno, la magistratura e le forze dell'ordine hanno ottenuto successi in materia? «Se trovo quelli che hanno fatto nove serie della *Piovra* e quelli che scrivono i libri sulla mafia e vanno in giro in tutto il mondo a farci fare così bella figura, giuro, li strozzo!»[21] ha detto B., citando «la letteratura, il supporto culturale, *Gomorra*...». Si potrebbe obiettare che la sua casa editrice (Mondadori) ha pubblicato il libro di Roberto Saviano; e la sua televisione (Canale 5) ha trasmesso la serie sul «capo dei capi» Totò Riina. Ma la retorica di B. non è logica. È emotiva, come quella di tanti italiani.

«Quando si scorrono i giornali alla mattina, danno degli incentivi alla paura che sono fuor di ragione e fuor di realtà!» s'è lamentato durante una conferenza-stampa a Palazzo Chigi. E ha chiuso con un invito: «Bisogna incentivare editori e direttori responsabili degli organi di stampa affinché non contribuiscano a diffondere il panico e sostenere la paura. Da qui il mio invito preciso agli imprenditori: affinché la vostra azione sui media sia più convincente, minacciate di non dare la vostra pubblicità a quei media che sono essi stessi fattori di crisi».[22]

Un invito inopportuno, per il Five Million Club. Una reazione comprensibile, per tutti gli altri.

5

Fattore Hoover

Lui saprà vendere, ma diciamolo: in giro c'era voglia di comprare.

B. non avrebbe potuto piazzare la sua merce politica se non avesse trovato una nazione in vena di acquisti. Perché? Alcuni motivi li abbiamo visti, altri li vedremo: empatia, nuovi condizionamenti, antiche consuetudini, mancanza di alternative. Gli italiani, all'inizio degli anni Novanta, erano «stanchi di lungaggini e assetati di efficacia»,[1] ha scritto Barbara Spinelli. È un peccato che, come nel bar sotto casa, si siano poi accontentati di ordinare: il solito.

Resta un fatto: il venditore ci sa fare. Bravo come i *salesmen* della Hoover quando presero a girare l'America, negli anni Venti. A Canton, Ohio, James M. Spangler, un sessantenne sofferente d'asma e allergico alla polvere, aveva inventato una *suction sweeper* (spazzola a suzione), utilizzando le pale di un ventilatore, il motore di una macchina per cucire, una scatola di legno, la federa di un cuscino e un manico di scopa. Senza soldi da investire, nel 1908 cedette il brevetto al marito di una cugina, William

«Boss» Hoover, che prese a venderlo porta a porta, offrendo un periodo di prova gratuito di dieci giorni.

> *«There's Nothing Like A Hoover®*
> *When You're Dealing With Dirt!»*

> «Non c'è niente come un Hoover®
> quando hai a che far con lo sporco!»

Anche B., per pagarsi gli studi, negli anni Cinquanta vendeva al vicinato spazzole elettriche portatili (oltre a proporsi come fotografo ai matrimoni e ai funerali).[2] Anche lui ha capito quali erano le nostre allergie e, molti anni dopo, ha introdotto il suo *Porta a Porta*, che a quel punto si era spostato in televisione. Il periodo di prova, tuttavia, non è gratuito; e dura da diciassette anni.

B. è abile: sa ritoccare la confezione senza cambiare prodotto. La linea classica prevede:

L'UOMO NUOVO

B. è presentato nel 1994 come estraneo al sistema dei partiti, un imprenditore prestato alla politica. Gli elettori di Forza Italia – un'alta percentuale di casalinghe (21,8 per cento), una bassa percentuale di laureati (3,8 per cento) – non sapevano delle intense frequentazioni craxiane e democristiane; né dei 3500 miliardi di debito che gravavano sulla Fininvest, e spinsero Giuliano Urbani – l'ispiratore dell'ingresso in politica durante un incontro ad Arcore il 29 giugno 1993 – ad affermare: «All'inizio trovai in Berlusconi un cocktail di sentimenti in cui l'allarme individuale era una componente dominante all'80 per cento».[3] Se anche l'avessero saputo, quegli elettori, non ci avrebbero dato peso. Un imprenditore milanese celebre per le sue televisioni colorate (Silvio Berlusconi) e un politico torinese noto per i suoi baffi grigi (Achille Occhetto): esito scontato.

Oggi l'usato, ben lucidato, appare più nuovo del nuovo. B. continua a presentarsi come un outsider, e risulta convincente. L'11 settembre 2010, al telefono da Mosca a Gubbio, dov'era riunita la scuola del partito, ha spiegato che l'Italia non avrà «governicchi», la crisi di governo «sarebbe un delitto» e la «vecchia politica politicante» non avrà la meglio.[4] Il fatto d'aver guidato il governo per otto anni e l'opposizione per altrettanti non cambiava le cose: gli avversari erano la vecchia politica politicante, lui la novità entusiasmante.

L'UOMO PRATICO

Dal video trasmesso il 26 gennaio 1994 per annunciare l'ingresso in politica (conosciuto, come le encicliche, dalle prime parole: *L'Italia è il Paese che amo*) al *Contratto con gli italiani* presentato in televisione l'8 maggio 2001, cinque giorni prima delle elezioni che ne avrebbero segnato la rivincita, fino all'annuncio del «governo del fare che affronta e risolve le emergenze vecchie e nuove» dal palco di piazza San Giovanni a Roma, il 20 marzo 2010:[5] nei momenti decisivi il metodo è lo stesso. OSA: Ometti, Semplifica, Amplifica. Il cliente ha l'impressione di capire, s'entusiasma e compra.

Il *Contratto* del 2001, ispirato al *Contract with America* del repubblicano Newt Gingrich (1994), prometteva:

– abbattimento della pressione fiscale
– poliziotto di quartiere e diminuzione dei reati

– aumento delle pensioni minime
– apertura di nuovi cantieri
– dimezzamento della disoccupazione

Se non avesse realizzato almeno quattro dei cinque punti, B. s'impegnava a non ricandidarsi alle successive elezioni. Come sappiamo, la pressione fiscale non è diminuita, la disoccupazione non si è dimezzata e i cantieri hanno prodotto più scandali che strade. Ma il cliente dimentica, se il venditore è bravo.

La reputazione di uomo concreto si è diffusa anche all'estero. Nel libro di memorie, *Un viaggio*, l'ex primo ministro britannico Tony Blair, uomo d'affari e di mondo, racconta così l'assegnazione a Londra dell'Olimpiade 2012: «C'è un'ultima persona senza la quale non avremmo potuto vincere: Silvio Berlusconi. Gli avevo fatto visita nella sua casa in Sardegna per chiedergli aiuto sulla candidatura. Mi aveva domandato fino a che punto fosse importante per noi ottenere l'Olimpiade. "È importante" gli avevo risposto. "Molto?" "Molto." "Sei mio amico" aveva detto Berlusconi. "Non ti prometto niente, ma vedrò cosa posso fare." Questo comportamento è tipico di Silvio ed è per questo che lo ammiro. Quasi tutti i politici promettono, ma poi non combinano nulla. Lui non aveva promesso, aveva agito».[6]

Musica, per le orecchie di B. E gli strumentisti per suonarla in pubblico non gli mancano.

L'UOMO DI SUCCESSO

La squadra del Milan è la metafora del mondo di B. La proprietà che, più di ogni altra, combina passione e visione, calcolo e interesse.

Dopo le vittorie degli anni Novanta, che ne avevano accompagnato e favorito il successo politico, e due vittorie europee nel 2003 e 2007, B. sembrava disamorato della squadra. Il Milan è perfetto così com'è, assicurava, lasciando gloria e vittorie ai rivali dell'Inter, che in quattro campionati, dal 2007 al 2010, hanno accumulato 79 punti di distacco, arrivando a conquistare una storica tripletta (scudetto, coppa Italia e Champions League). Improvvisamente, in estate, nel giro di quarantotto ore, B. ha acquistato Ibrahimović e Robinho, due giocatori ottimi e costosi.

Cos'era accaduto? Secondo Franco Ordine, commentatore sportivo del «Giornale», è stata una reazione «ai veleni, ai tradimenti, alle delusioni patite in politica dal presidente Silvio Berlusconi». Secondo il sondaggista Luigi Crespi, un tempo il favorito di B., «una lobby trasversale di manager, uomini politici, giornalisti, gente di spettacolo e di cultura milanisti» ha commissionato un sondaggio dai risultati sorprendenti: «Il premier avrebbe rischiato di perdere il 20-25 per cento dei milanisti che votavano Pdl. In termini elettorali si sarebbe trattato di una perdita di almeno mezzo milione di voti, vale a dire di 2 punti percentuali».[7]

L'insuccesso è, insieme, un rischio e un'onta. Dopo una brutta sconfitta e una pessima figura contro il neopromosso Cesena, invece di commentare l'esordio incolore del sunnominato Ibrahimović (il cui ingaggio è superiore a quello dell'intera squadra avversaria), B. ha detto: «Il problema è che spesso il Milan si imbatte in arbitri di sinistra».[8] Sostituite «Milan» con «partito» e «arbitri» con «magistrati»: non si tratta di un'opinione nuova.

Conflitto d'interessi? Non più: gli interessi del premier – nazionali, internazionali, personali, familiari, sociali, sentimentali, sessuali, professionali, sportivi, televisivi, pubblicitari, finanziari, industriali, commerciali e politici – non sono più in conflitto. Maestosamente mescolati, come l'acqua di un fiume, puntano tutti nella stessa direzione. L'opinione pubblica? Segue la corrente. L'opposizione? Ogni volta, viene travolta dalla piena.

Se cercate su Google «*how to sell a product*», come vendere un prodotto, troverete 434 milioni di risultati. Il primo è http://www.wikihow.com/Sell-a-Product. I dodici consigli offerti dimostrano come B. sia un magnifico *salesman*. Se la merce sia buona, sta a voi deciderlo.

1. *Non basta far giungere informazioni alle persone giuste, è importante tradurre le caratteristiche del prodotto in benefici per il cliente, rendendo così più facile l'acquisto.*

B. ha saputo convincere molti italiani che averlo al governo era nel loro interesse. Qualcuno dirà: non lo fanno tutti i politici? Certo, ma qualcuno lo fa meglio, più in fretta e con più fantasia. Il motto di B. è lo stesso di quando vendeva case e pubblicità: «Bisogna farsi convesso con il concavo e concavo con il convesso». Non parlerà di evasione fiscale a una platea di potenziali evasori – quindi, in Italia, non ne parlerà mai – e maledirà invece, in ogni occasione, la lentezza delle autorizzazioni e la complessità delle procedure.

2. Durante la presentazione, accèrtati che il tuo potenziale acquirente desideri il tuo prodotto.

B. non avrà studiato alla Sorbona, come vedremo, ma ha frequentato le convention aziendali, e non sono scuole meno formative. Edilnord gli ha insegnato l'arte della persuasione, l'ottimismo davanti alla difficoltà, l'importanza del gruppo. Publitalia gli ha trasmesso il valore commerciale dell'uniformità, l'attrazione della ripetitività, le tecniche della galanteria provvisoria (e la pratica del regalino-ricordo).

Otto leader mondiali sono più facili da sedurre di ottocento ragazzi che devono vendere spazi pubblicitari per guadagnarsi la commissione. B. conosce i rituali dei coffee-break e delle foto di gruppo. Obama ha posato mille volte? B. cento volte di più. Sa dove sbucare, come sorridere, cosa dire per attirare l'attenzione.

L'ha confermato parlando nel 2009 con Paula Newton della Cnn: «Io porto allegria e ottimismo nel gruppo; avendo fatto tante volte l'insegnante in tante situazioni per gruppi di persone, gruppi commerciali eccetera, so dosare i discorsi di contenuto serio con qualche momento di sollievo».[9]

Magari la Regina s'arrabbia – ma non è lei che bisogna conquistare.

3. I prodotti di maggior successo vengono acquistati, non venduti. Sono acquistati da gente che ne ha bisogno, e crede che il prodotto o servizio soddisferà quel bisogno. Questo tuttavia è un risultato del marketing, non della vendita.

B. ama l'ironia e conosce il sarcasmo. Utilizza poco, invece, l'*understatement*. Un limite per l'uomo, forse; non per il venditore. I clienti lo vogliono euforico e privo di dubbio. B. ha valutato così il proprio operato, nel settembre 2009:

> Mi sento di essere meglio di qualsiasi presidente del Consiglio in sessant'anni di storia della Repubblica. De Gasperi? È un padre della patria, aveva un difficile compito in politica estera, ma per quanto riguarda le operazioni interne non c'è assolutamente paragone tra quello che ha fatto il mio governo e quello che ha fatto De Gasperi.[10]

Gli storici sorrideranno, ma il messaggio è giunto a destinazione: io dico che sono il migliore, a voi provare il contrario. Ai collaboratori, negli anni Ottanta, insegnava:

> Dovete essere dei martelli pneumatici. Non supponete troppo dall'intelligenza della gente. Siate semplici, persuasivi. Ripetete i dati, spiegateli con semplicità. Le verità più semplici sono le più difficili da dimenticare.[11]

Solo un *marketing guru* americano saprebbe dire di meglio. E nessun politico italiano riuscirebbe a scaricare così bene sui predecessori le difficoltà finanziarie del Paese:

> I governi dal 1980 al 1992 con il Partito Comunista in coabitazione di governo, dall'esterno, che ha votato il 92 per cento delle leggi che hanno appesantito il bilancio dello Stato, sono riusciti a moltiplicare per otto volte il debito pubblico, e noi oggi ci troviamo col terzo debito pubblico del mondo.[12]

Forse B. intendeva condannare l'amico Bettino Craxi, che di quella stagione politica fu il protagonista? Ovviamente no. In diretta televisiva ha invece stralciato la posizione del suo protettore socialista, condannato gli odiati comunisti e trovato un'attenuante per la voragine nelle finanze pubbliche. In cinquanta parole: non male.

4. *Vendere un prodotto, piuttosto che metterlo soltanto in vendita, comporta sempre una componente emotiva.*

Molti soldati americani, tornati dal fronte della Prima guerra mondiale, vennero reclutati nell'esercito dei *salesmen* Hoover. Non era un lavoro facile: lunghe giornate, guadagni modesti, porte in faccia. Per gratificarli l'azienda prese a conferire ai migliori venditori medaglie, cui venivano assegnati nomi militari, come Dsm (Distinguished Service Medal) o «tiratore scelto». Era un piccolo riconoscimento, ma una grande gratificazione.

B. lo ha capito. Nel 2006 ha distribuito un kit ai Legionari Azzurri («180.000 persone che credono in un ideale, conoscono il progetto, convincono gli elettori, difendono il voto, si riconoscono in Silvio Berlusconi e Forza Italia»). Legionari? B. conosce le amnesie nazionali: l'uso dell'antica terminologia romana, già saccheggiata dal fascismo, non lo disturba. Nell'agosto del 2010, ignorando cos'è stato in Italia lo «squadrismo», annuncia le «squadre della libertà», incaricate della propaganda porta-a-porta, e poi di vigilare sul voto. Un sospetto, poi, deve essergli venuto: in ottobre le «squadre» diventano «team» («Voglio 61.000 Team della Libertà nei 61.000 dipartimenti elettorali»).[13]

Culto del leader, organizzazione e spirito di gruppo:

funziona. Gli avversari non capiscono l'attrazione – per gli elettori come per i candidati – di distintivi, gadget, ruoli. Date a un italiano un titolo, un grado e una divisa e lo farete felice. Siamo una nazione di capi impettiti, di vice speranzosi, di piramidi gerarchiche che appaiono vertiginose e sono invece consolanti. Riempiono la vita, danno un senso alle grandi attese e alle piccole fatiche: un italiano su quattro è presidente di qualcosa, gli altri tre sperano di diventarlo un giorno.

B. conosce questi meccanismi, e li utilizza. Il parlamentare non è forse un *rappresentante*? Be', prenda la valigetta.

Alla vigilia delle elezioni del 1994 B. ha fornito ai candidati – a pagamento – due borse di stoffa verde rifinite in similpelle (una a tracolla, l'altra formato pilota) contenenti:

- tre cravatte disegno regimental a righe bianche rosse e verdi, con lo slogan Forza Italia al centro
- tre grandi bandiere tricolori con la stessa scritta
- dieci gagliardetti triangolari con passamaneria dorata
- un set di penne con scritta oro (Forza Italia)
- 15 videocassette che illustrano i punti del programma a cura di Antonio Martino (Luiss di Roma) e Gianni Marongiu (Università degli Studi di Genova)
- due videocassette, due compact disc e tre cassette stereo con l'inno in versione karaoke
- scorta di adesivi e di distintivi di varie misure
- spille rotonde (badge) con il volto del leader
- una brochure dell'impero Fininvest, che si apre

con il simbolo del gruppo (una scultura di Piero Cascella), una foto del fondatore, l'elenco illustrato delle proprietà in Italia e all'estero
– la «Dichiarazione del dr. Silvio Berlusconi del 26.1.1994 – Per il mio Paese».

La sinistra, quando lo ha saputo, ha riso. Poi ha perso, e ha riso un po' meno.

Quattordici anni dopo, alla vigilia delle elezioni politiche 2008, tattica e strumenti non erano cambiati. Ai candidati è stato consegnato – gratuitamente, stavolta – un kit con spillette, calamite, bandiera, la Carta dei Valori, le Sette Missioni per il Futuro, il manifesto del partito, le 67 nuove tasse di Prodi elencate una per una, un libretto con 40 pagine di suggerimenti per dibattiti e comizi («Strumenti per gli interventi dei candidati»). Tra questi: paragonare l'avversario Walter Veltroni a Stalin. Così: «Pur non disponendo del programma Adobe Photoshop anche Stalin fece sparire Karl Radek da una celebre fotografia dei capi del Cremlino. Ma di Radek rimasero le mani e quel ritocco si rivelò un infortunio politico. Lo stesso vale per Veltroni novello Stalin: nasconde nell'armadio Prodi, ma le sue mani, come quelle di Visco e Padoa-Schioppa, sono ben visibili nelle troppe tasse che gli italiani pagano».[14]

La sinistra, quando lo ha saputo, ha riso nuovamente. Poi ha perso ancora, e di nuovo ha riso un po' meno.

5. *Diffondi le informazioni sul tuo prodotto in uno dei seguenti modi: faccia-a-faccia, attraverso rappresentanti, venditori, radio e Tv, passaparola tra i clienti, posta (in varie forme), distribuzione a eventi e fiere di settore, se-*

*minari, telefono, fax, computer, posizione nel punto
vendita, annunci pagati e Internet.*

La liturgia della parola è fondamentale nel rito berlusconiano. Vendere un prodotto – un aspirapolvere o un partito – richiede un uso abile del discorso. B. è uno specia-
lista del monologo e del monosillabo. È meno portato
per il dibattito, perché non tollera che qualcuno lo con-
traddica. In questo caso, rallenta, s'incupisce e s'appesan-
tisce: sente di non essere amato, e rinuncia a vendere.

La sua comunicazione scritta ha la chiarezza della pubblicità, che non può permettersi di non essere capita. Ma è
nella comunicazione orale dove B. eccelle, e su cui ha costruito le sue fortune. Il rischio di questa bravura è esagera-
re. B. in televisione è difficilissimo da interrompere – pochi
ci provano, peraltro – ed è convinto che questo flusso ver-
bale (6,5 sillabe al secondo) lo renda ipnotico.

Del vocabolario, capace di modellarsi sugli interlocutori, parleremo (Fattore Zelig). Ma è la sintassi dove B.
ha introdotto le novità maggiori. La politica italiana era
fiera della sua oscurità, che considerava un segno di di-
stinzione: la secondaria implicita è stata, per decenni, il
marchio di una categoria. B. ha introdotto soggetto-
verbo-complemento, e una sola secondaria dopo la frase
principale. Il cliente/elettore non voleva credere alle sue
orecchie: affascinato da una forma comprensibile, ha tra-
scurato una sostanza irrealizzabile.

*6. L'informazione sul prodotto dev'essere esauriente. Ideal-
mente, dovrebbe dare al potenziale cliente le informazioni necessarie per comprare sul posto.*

B. ama sfoggiare numeri, dati, statistiche e percentuali, di cui conosce la capacità di persuasione: raramente chi li ascolta è in grado di smentirli, così, su due piedi. Ogni tanto li sbaglia – come quando, nonostante le garbate obiezioni di Bruno Vespa, insisteva che «60 miliardi di vecchie lire» fossero «30 miliardi di euro attuali»[15] – ma non è un inciampo che ferma il maratoneta.

L'invito ai parlamentari, agli amministratori e ai sostenitori è quello di usarli appena possibile. La pubblicistica del governo è zeppa di cifre: il libretto *5 anni di lavoro per l'Italia*, distribuito prima delle elezioni del 2006, contiene più numeri di un elenco del telefono. Un approccio scientifico in un Paese impressionistico. Anche questo è un modo di differenziarsi e vendere.

Questa passione comporta una manomissione, all'occorrenza.

«In assoluto [sono] il maggior perseguitato dalla magistratura in tutte le epoche, in tutta la storia degli uomini in tutto il mondo. [Sono stato] sottoposto a 106 processi, tutti finiti con assoluzioni e due prescrizioni»: così si è sfogato il 9 ottobre 2009. In verità i processi sono molti meno. La figlia Marina, il giorno dopo, in una intervista al «Corriere della Sera» ha ridimensionato: «Mio padre tra processi e indagini è stato chiamato in causa 26 volte». Giuseppe D'Avanzo, sulla «Repubblica», sostiene che in realtà i processi a carico di B. sono 16, e nei 12 già conclusi, solo in tre casi le sentenze sono state di assoluzione (uno con formula piena).[16] In due processi, il fatto non era più previsto dalla legge come reato; in altri due l'amnistia ha estinto il reato; nei restanti cinque l'imputato ha ottenuto le attenuanti generiche (beneficiando per tre volte della prescrizione dimezzata approvata dalla sua maggioranza).

7. *Quando vendete un prodotto faccia-a-faccia, è fonda-mentale tradurre l'informazione in benefici per il poten-ziale cliente.*

Scrive Umberto Eco:

> Colpisce in Berlusconi (e purtroppo diverte) l'eccesso di tecnica del venditore. Non è necessario evocare il fantasma di Vanna Marchi – che di queste tecniche costituiva la caricatura. Vediamo la tecnica di un venditore di automobili.
>
> Egli inizierà dicendovi che la macchina è praticamente un bolide, che basta toccare l'acceleratore per andare subito sui duecento orari, che è concepita per una guida sportiva. Ma non appena si renderà conto che avete cinque bambini e una suocera invalida, senza transizioni di sorta, passerà a dimostrarvi come quella macchina sia l'ideale per una guida sicura, capace di tenere con calma la crociera, fatta per la famiglia.
>
> Il venditore non si preoccupa che voi sentiate l'insieme del suo discorso come coerente, gli interessa che, tra quanto dice, di colpo vi possa interessare un tema, sa che reagirete alla sollecitazione che vi può toccare e che, una volta che vi sarete fissati su quella, avrete dimenticato le altre. Quindi il venditore usa tutti gli argomenti, a catena e a mitraglia, incurante delle contraddizioni in cui può incorrere.[17]

8. *Molti venditori non amano ammettere che le vendite possono essere concluse semplicemente fornendo informazioni sul prodotto.*

Per quanto convinto della propria indispensabilità, B. capisce l'importanza di una comunicazione politica attraente, comprensibile e convincente. È improbabile – vista la scarsa dimestichezza con Internet – che abbia deciso l'aspetto del sito del Popolo della Libertà (mentre continua a intervenire sui programmi televisivi Mediaset). Ma di certo lo ha visto e approvato.

Chi avesse visitato www.ilpopolodellaliberta.it a Ferragosto 2010 avrebbe trovato una grande scritta («Partecipa anche tu all'Operazione Memoria!») e avrebbe potuto accedere all'«Album del governo del fare».[18] Sfogliandolo con il mouse – è possibile un sottofondo musicale – sarebbe apparso l'elenco delle misure approvate dal governo tra il 2008 e il 2010, divise per argomento: Sostegno del Reddito, Sicurezza sui Risparmi, Fisco Amico per le Famiglie, Piano Casa, Per la Donna che Lavora, eccetera. Gli stessi temi, sul sito del Partito Democratico, sono dispersi in una valanga di informazioni, suddivisi in aree tematiche, confusi in manifesti, comunicati stampa e interviste. Chi volesse capire cosa intende fare la sinistra una volta al governo, o pensasse di trovare elementi utili per prevalere nella quotidiana discussione col barista berlusconiano, avrebbe sbagliato posto (e bar, a questo punto).

9. Tuttavia, quando un venditore è coinvolto, la relazione personale è più importante della conoscenza del prodotto, e i venditori capaci di capire i bisogni pratici ed emotivi del cliente avranno successo.

Capire i clienti. B. ci prova – e ci riesce – da quarant'anni, sfruttando le stesse occasioni e gli stessi meccanismi.

Amava il palcoscenico ai tempi delle convention aziendali; oggi, lo adora. Nel 1968 – aveva trentadue anni – vendeva appartamenti con lo slogan: «Quando a Milano piove a Brugherio c'è sempre il sole!».[19] Nel 2006 ha preso il microfono durante l'assemblea di Confindustria, si è alzato e ha ripetuto gli stessi slogan: «Siate positivi! Siate ottimisti! Un imprenditore ha il dovere dell'ottimismo! Col pessimismo non si va da nessuna parte! Non credete ai giornali che parlano di declino: non ci siamo impoveriti in questi anni!». E poi via con una serie di dati, battute e citazioni.[20]

Il cliente ha comprato. Gli industriali presenti, da principio scettici, sono passati dalla sua parte.

10. *Pubblicità, merchandising e marketing sono in funzione della vendita.*

B. è un seduttore. Il desiderio di conquistare gli interlocutori lo porta ad avere un rapporto elastico con la realtà, fino al punto di abbellire l'autobiografia. Al tempo di Publitalia citava un esordio musicale in Libano (dove non è mai stato), studi alla Sorbona (dove non ha mai studiato), un titolo di campione italiano di canottaggio studentesco con il Cus Milano (che non è mai arrivato). Il vizio è rimasto. Il 25 maggio 2010, tra gli ospiti a cena a Palazzo Grazioli, c'era un esponente leghista di Busto Arsizio. «Da giovane ho giocato nella squadra della tua città» ha confidato B. secondo quanto riferito. Peccato che la Pro Patria non abbia mai avuto un Berlusconi tra i tesserati.[21]

Scriveva Giuseppe Berto: «Che i popoli siano creduloni e volubili è facile pensarlo, dal momento che gran parte degli individui che compongono un popolo sono volubili e creduloni. Ora, la credulità non è caratteristica che preoccupi i prìncipi, tutt'altro. L'eccessiva volubilità, invece, potrebbe dare qualche fastidio, però il Machiavelli, che pure non poteva aver sentito l'influsso di Stalin, dice che è sufficiente organizzarsi in modo tale che "quando non credono più, si possa far loro credere con la forza"».[22]

Una forza democratica e aggiornata, ovviamente. Ma non c'è dubbio che ci sia molto denaro, molta energia e molta insistenza nella propaganda di B. Accollarsi in prima persona una campagna elettorale, visitando piazze e studi televisivi, non è da tutti, dopo i settant'anni. Liquidare un'accusa come «polverone mediatico» è una cosa; farlo per sedici anni di seguito è un'altra cosa.

11. *Le vendite possono essere aumentate solo in uno di questi modi:*
   – vendere un numero maggiore degli attuali prodotti agli attuali clienti
   – aggiungere nuovi prodotti
   – aggiungere nuovi clienti

Come mantenere i clienti? Bisogna rassicurarli. Anche per questo la B.-iconografia è rimasta uguale, a cominciare dai fondali azzurri (colore lasciato libero dai partiti della Prima Repubblica: i democristiani erano bianchi, comunisti e socialisti rossi, repubblicani verdi, missini tricolori). Grazie alla sorveglianza affettuosa di Miti Simonetto, il leader ha creato il *format* di se stesso: abito doppiopetto (utile a nascondere le variazioni di peso); diverse tonalità di blu (nella cromoterapia, il colore rilassante per eccellenza); trucco abbondante prima di ogni apparizione pubblica; capigliatura artificialmente scura e impeccabilmente disegnata (sarà più facile vederlo pentito che spettinato).

Per convincere la clientela ad acquistare di più, invece, bisogna evitare che resti delusa. Questo significa ricordare le cose buone, minimizzare quelle negative e far dimenticare le promesse mancate.[23] Per aggiungere clienti, infine, occorre proporre novità. Sono arrivate. Gli anni di governo hanno portato immagini con i grandi della terra, mentre avvenimenti imprevisti come l'immondizia a Napoli o il terremoto all'Aquila hanno fornito l'occasione di mostrare nuove, pirotecniche competenze.

12. Concludere l'affare.

Eletto nel 1994, rieletto trionfalmente nel 2001, sconfitto di misura nel 2006 dopo una rimonta sorprendente, eletto per la terza volta nel 2008 a grande maggioranza.

Se i concorrenti vanno avanti così, il venditore può star tranquillo: la pensione è lontana.

6

Fattore Zelig

Giugno 2010. Arriva in Brasile e subito si mette in posa con la maglietta verde-oro: «Il calcio brasiliano non è calcio, è poesia». L'Italia azzurro-tenebra, sconfitta e polemica in Sudafrica? Rimossa e lontana.

Poi dice a Luis Inácio Lula da Silva, presidente di sinistra: «Entrambi veniamo dalla trincea del mondo del lavoro». Che uno sia un imprenditore miliardario e l'altro fosse un operaio, ovviamente, è irrilevante.

Per finire: «Il presidente mi ha detto di essere sposato da 35 anni, ma ha l'occhio birichino». Sarà contenta Doña Marisa Letícia da Silva, *primeira-dama do Brasil,* originaria di Palazzago, provincia di Bergamo. Ma la frase è abile: in un Paese sessualmente disinibito, è un modo di mostrarsi sintonizzato.

Questo – più delle *Iene* pauliste,[1] che hanno cercato di recapitargli giovani ragazze, dimenticando che l'uomo viaggia sempre con la scorta – è il marchio camaleontico di B. Adattarsi all'ambiente circostante. Immedesimarsi negli interlocutori: una qualità, in politica. La capacità di trasformarsi in loro – come Leonard Zelig, protagonista del film di Woody Allen[2] – è più rara.

L'ansia di essere tutto per essere sempre, in patria e all'estero. Nell'introduzione abbiamo abbozzato un elenco, ma potrebbe essere più lungo. Macho con Vladimir Putin. Affabile con Angela Merkel. Conservatore con George W. Bush. Liberale con Barack Obama. Europeo a Bruxelles, euroscettico a Londra. Filoisraeliano a Gerusalemme, filoarabo al Cairo e filoiraniano con Teheran. Uomo semplice con Zapatero e uomo di mondo con Sarkozy, al quale ha ricordato il debito contratto sposando l'italiana Carla Bruni: «*Moi je t'ai donné* la tua donna», poi diplomaticamente corretto in «*Tu sais que j'ai étudié à la Sorbonne*», tu sai che ho studiato alla Sorbona (cosa mai avvenuta, come abbiamo visto).

Padre di famiglia coi cinque figli (e le due mogli, finché è durata). Nottambulo tra i nottambuli. Giovane tra i giovani. Saggio con gli anziani. Lavoratore tra gli operai. Imprenditore tra gli imprenditori. Tifoso tra i tifosi. Milanista tra i milanisti. Milanese con i milanesi. Lombardo tra i lombardi. Italiano tra i meridionali. Napoletano tra i napoletani, con accompagnamento musicale.

Le doti camaleontiche s'imparano. Ma, per diventare un fuoriclasse, occorre una predisposizione. Come Leonard Zelig cerca di acquisire l'identità di chi gli sta intorno, così B. ha la capacità rara di modellarsi sulle aspettative degli italiani, a seconda dei momenti e della convenienza. La sua vicenda personale e imprenditoriale è una successione di interpretazioni magistrali, sorrette – secondo il suo primo biografo, Gigi Moncalvo – da una «iperattività esuberante», una «illimitata fiducia in sé» e «una mancanza di atteggiamento autocritico di qualsiasi tipo».[3]

Lo dimostrano immagini celebri. Negli anni Cinquanta, su una nave della Costa Crociere, con il cappello bianco e l'asta del microfono piegata, come un vero cantante. Nel 1976 davanti a un plastico di Milano 3, come un vero costruttore. Nel 1978, alla presentazione di Canale 5, come un vero imprenditore brianzolo. Nel 1980, con cappello, abito bianco e sigaretta, deciso a imitare Alain Delon, come un vero attore. Nel 1987, mostrando un articolo di Gianni Brera, come il presidente di una vera squadra di calcio. Nel 1994, sul palco di Forza Italia, in posa plastica, come un vero ballerino.[4]

La più eloquente, tra le immagini pre-politiche, risale alla seconda metà degli anni Settanta e sta nella stanza di Giuliano Molossi, direttore della «Gazzetta di Parma». Silvio Berlusconi, diventato azionista del «Giornale», scende dalla scalinata di Trinità dei Monti in compagnia di Indro Montanelli. La differenza di età, di statura, di portamento e di abbigliamento non sembra intimidire il più giovane della coppia. L'umore è alto come il colletto della camicia. B. è un giovane editore, orgoglioso d'avere al fianco l'uomo che considera un maestro.

Dopo la rottura tra i due, seguita all'ingresso in politica di B., Montanelli parlava di lui con un misto di repulsione, ammirazione, stupore e timore. «Mi ha chiesto di incontrarmi» ha detto un giorno, dopo la chiusura della «Voce», a metà degli anni Novanta, «ma non voglio. Perché lo so: arriva, scoppia a piangere sul pianerottolo, mi abbraccia, mi dice che non può stare senza di me. E io gli credo. E lui mi frega.»[5]

Montanelli aveva capito: i grandi venditori e i grandi seduttori sono convincenti perché credono davvero, ogni volta, di proporre il miglior prodotto e l'amore più grande. Qualcuno ci casca e poi, di solito, si pente.

Zelig, in 79 minuti di film, diventa molte cose. La trasformazione psicosomatica lo porta a moltiplicarsi. Repubblicano tra i repubblicani, democratico tra i democratici, aristocratico tra i nobili, medico tra i medici, gangster tra i gangster, suonatore nero tra i neri, rabbino in sinagoga, cinese tra i cinesi, cantante all'opera, lanciatore sul diamante del baseball.

Zelig era spinto da una nevrotica insicurezza; B. è mosso dal desiderio quasi adolescenziale di sentirsi, insieme, uno del gruppo e protagonista. L'abbigliamento – ogni quindicenne ve lo potrà confermare – è fondamentale. E lo rimane nel corso della vita. Tutti noi vestiamo in modo diverso secondo le occasioni: nessuno si presenta vestito di verde a una serata mondana, se non è un militare, un dirigente leghista o Peter Pan. B., tuttavia, è più scientifico: i suoi cambi d'abito non sono mai casuali.

Giacca scura/cravatta blu/camicia chiara è la divisa per le occasioni ufficiali, e un messaggio piacevolmente conformista; il doppiopetto, una forma di assicurazione sulla vita. Il pullover annodato sulle spalle è un marchio italiano conosciuto nel mondo, e un evocatore d'estate. Il maglione indossato tra i fiori di Arcore è un segno di informalità borghese; la camicia nera sotto la giacca scura serve a convincere Vladimir Putin a organizzare una serata come si deve.

Ma i personaggi, in tanti anni di attività politica, sono molti di più. C'è il Tony Manero – completo bianco e camicia blu – che si scatena in compagnia di ballerine cubane. C'è il festaiolo disinibito (ragazze seminude in villa, l'ex premier ceco nudo del tutto). C'è il padre che corre nel parco di Arcore col figlio e il cane («Pur amando i cani e gli animali in genere, è difficile che il Cavaliere si faccia ritrarre con essi»).[6] C'è il capobranco in tenuta bianca da jogging alle Bermuda, in compagnia di Letta, Confalonieri, Galliani e Dell'Utri. Quest'ultimo nel diario annoterà: «Dieta strettissima, esercizi spirituali e profonde letture. Ci siamo commossi con le pagine di Francis Bacon e di Platone».

Impressionante la collezione di copricapi, di ogni foggia, dimensione e colore. Nelle pubblicazioni di partito B. appare indossando: un berretto blu cineseggiante tra i cactus di Villa Certosa; un berretto militare in Iraq; una serie di elmetti (al gasdotto Blue Stream, in una fabbrica, in un cantiere sull'autostrada); un berretto da tamburino a una sfilata; un cappello bianco da mandriano in Texas, un berretto da ferroviere su un treno; una kippah a una cerimonia ebraica; un monumentale colbacco in Russia e la celeberrima bandana, con cui nell'estate 2004 ha accolto a Porto Rotondo gli stralunati Tony e Cherie Blair.

Bandana a parte, questi copricapi vengono indossati da capi di Stato e di governo in tutto il mondo, da molti anni. Ma Deng Xiaoping, con un cappellone da cowboy durante la visita negli Stati Uniti, rimaneva un leader cinese con una cosa strana in testa. Se Angela Merkel porta un casco visitando una fabbrica di automobili resta una signora tedesca che rispetta una norma di sicurezza. Se

Nicolas Sarkozy calza un berretto da ferroviere è comunque l'inquilino dell'Eliseo che scende, magnanimo, tra il popolo. B. è diverso. Bastano un copricapo e un fotografo e diventa cowboy a Dallas, operaio in fabbrica, ferroviere sul Frecciarossa. E pensa – probabilmente – che sarebbe bravissimo a guidarlo.

In Italia il termine «trasformismo» ha acquisito un significato odioso. Nacque nel 1882 quando Agostino Depretis, leader della sinistra liberale, si alleò con gli esponenti progressisti della destra. Centotrent'anni dopo, viene usato come un'accusa. «Trasformista!» vuol dire, sostanzialmente, traditore.

Il tentativo di adattarsi non crea invece allarme, in un Paese adattabile: se tenti di assomigliarmi, significa che ti piaccio. B. raramente sbaglia registro, davanti a un pubblico italiano. Lo lusinga, lo conquista, lo seduce e se ne va. L'aveva teorizzato ai tempi della Fininvest: «L'importante, nel mondo del lavoro, è essere capaci di adattarsi agli altri. Non sono gli altri che debbono adattarsi a noi».[7]

L'incontro con gli operai nei cantieri dell'Aquila post-terremoto – incontro filmato, criticato e denunciato (anche nel film di Sabina Guzzanti, *Draquila*) – è la dimostrazione di un metodo. B. arriva, guarda le impalcature affollate e grida, rivolto verso l'alto: «Ma le donne dove sono? Tutti gay lì?». Aggiunge: «Complimenti, lavoro stupendo», e spende alcune parole sulla ricostruzione. Congedandosi, torna sul tema iniziale: «La prossima volta che vengo a trovarvi ve le porto io, le veline!».[8]

Gli operai non protestano. Né restano ammutoliti, pensando che il presidente del Consiglio debba essere più sobrio, visitando una città ferita. Ridono e applaudono, invece. Soggezione davanti alla celebrità? Cortesia per l'ospite? O invece sintonia su una passione – le belle ragazze – che unisce l'uomo più ricco e potente d'Italia e venti operai a milletrecento euro al mese?

«Come si fa a non commuoversi in questo momento...
[*applausi – dal pubblico: vai Silvio, forza Silvio, sei tutti noi!*]
È un momento solenne, un momento intenso...
[*dal pubblico: Silvio, accendi la luce!*]
Forse il nostro Paese ha bisogno davvero della luce della speranza e della fiducia...
[*applausi*]
Mentre venivo qui, ho pensato che c'era un matto che stava andando a incontrarsi con altri matti...
[*applausi – dal pubblico: Silvio, Forza Italia!!! Altrimenti ci tocca scappare dall'Italia!*]
Non credo, non credo... [*applausi*]... io credo che in questa Italia ci resteremo, ma abbiamo deciso di restarci come uomini liberi!
[*applausi*]
Ebbene, pensando a questa follia che sembra aver contagiato tutti noi, e tanti altri insieme a noi, io pensavo che si era verificato ancora una volta quel che avevo scritto in una prefazione a un bellissimo libro, l'*Elogio della follia* di Erasmo da Rotterdam. In quella prefazione dicevo: «È vera la tesi che viene fuori da queste pagine: le decisioni più importanti, le decisioni più sagge, le decisioni più giuste, la vera saggezza, non è

quella che scaturisce dal ragionamento, non è quella che scaturisce dal cervello, ma è quella che scaturisce da una lungimirante, visionaria follia».

[*applausi*]

Roma, 6 febbraio 1994

B. usa un linguaggio sintatticamente semplice; e parla chiaro. Non sembra credere all'opinione di Nietzsche – «Chi vuole apparire profondo alla folla si sforza di esser oscuro» – come generazioni di politici italiani prima di lui. Come scrive Edmondo Berselli, ricorre – fin da quel primo comizio, il 6 febbraio 1994 – a «un italiano composito, un *pastiche* di antico e ultramoderno, di complesso e semplice, di filosofia della vendita e di continua *captatio benevolentiae*».[9] L'importante «è che funzioni e che il suo pubblico lo trovi adeguato».

Molti anni dopo, possiamo dirlo: funziona. B. dice alla gente ciò che la gente vuol sentire, utilizzando le parole che ama ascoltare. Parole familiari: ecco perché, cambiando pubblico, occorre cambiare codice.

CODICE BONOLIS

B. adora i vocaboli desueti: sono il suo marchio di fabbrica. È la tecnica del conduttore televisivo Paolo Bonolis: ricordi liceali e lessico letterario per apparire colti. Tra i sostantivi berlusconiani c'è *facinorosi*, che ha scatenato l'ilarità di Michele Serra («È una parola fantastica, non la sentivo dai tempi della "Notte" di Nino Nutrizio!»). Tra gli aggettivi *obsoleto*, *liberticida*, *consono* ed *esteticamente plaudibile*. Classici sono l'espressione *mi consenta* e l'uso del passato remoto, innaturale per un lombardo.

Nel corso del doppio dibattito televisivo con Romano

Prodi, nel 2006, B. utilizza espressioni come *tesi bislacca* e *frottola, spudoratezza* e *adulterazione della realtà*; parla dei *danti causa* dell'avversario e accusa Francesco Rutelli d'essersi comportato *ignobilmente*. A un certo punto sfodera l'aggettivo *bieco*. Pensateci. Chi mai potrebbe, quand'è arrabbiato, gridare a qualcuno: «Sei bieco!». L'unica risposta possibile sarebbe: «Marrano! Ti sfido a singolar tenzone!».[10]

CODICE FOGAZZARO

Nel 2007 Veronica Lario Berlusconi si sfoga con una lettera al quotidiano «la Repubblica»: «Scrivo per esprimere la mia reazione alle affermazioni svolte da mio marito nel corso della cena di gala che ha seguito la consegna dei Telegatti dove, rivolgendosi ad alcune delle signore presenti, si è lasciato andare a considerazioni per me inaccettabili». B. risponde utilizzando un vocabolario ottocentesco, adatto all'elettorato conservatore, più facile a turbarsi davanti alle accuse di adulterio seriale: «... ero *recalcitrante*»; «... sono *giocoso* ma anche orgoglioso»; «anche quando dalla mia bocca esce la battuta spensierata, il riferimento *galante*, la *bagattella* di un momento». Piccolo mondo antico: anche se allora non c'erano i Telegatti.[11]

CODICE STADIO

B. entra in politica adottando il gergo del calcio: popolare, comprensibile ed evocativo di freschi successi (*discesa in campo, gioco di squadra, squadra di governo*). Per uscire dai confini rossoneri, sceglie *azzurri* per indicare candidati e sostenitori di Forza Italia. Non arriva a dichiararsi *presidente, allenatore* e *capitano* del nuovo partito: ma è come se l'avesse fatto. Leonardo, il tecnico cacciato dal Milan nel 2010 dopo un buon campionato, riassume così: «Me ne sono andato per ragioni di incompatibilità e di stile. A Narciso tutto quello che non è specchio non piace [...]. Non so perché parli tanto di me».[12]

CODICE SPOGLIATOIO

Durante la campagna elettorale 2001, B. racconta una barzelletta su un gay malato terminale di Aids, cui vengono consigliate le sabbiature «per prepararsi al dopo». Umorismo (?) e terminologia sono da spogliatoio maschile, impermeabile a ogni delicatezza. Succede tuttavia che lo spogliatoio s'ingentilisca, e B. assuma una terminologia protomourinhiana: «Dopo quel che è successo nel 1994, trovare un accordo con Bossi è molto difficile: potrebbero darmi del pirla».[13]

CODICE APPELIUS

Mario Appelius fu uno dei più appassionati – e meno affidabili – cantori della patria, negli anni Venti e Trenta. Quando vuole – e vuole spesso – B. sa suonare anche su questa tastiera, con esiti che possono risultare grotteschi per alcuni, ma commoventi per molti. Roberto Tartaglione, per la sua scuola di italiano a Roma, ha raccolto alcuni di questi ritornelli verbali (in corsivo nella citazione):

> L'immagine dell'Italia *(noi italiani siamo un autentico rompicapo per gli amici stranieri)* è descritta attraverso una retorica semplice ma efficace: *città pacifiche e operose, meravigliosa intelligenza mediterranea, cantiere di lavori in corso, Paese inaffondabile* dove *la donna è il cardine assoluto della famiglia*, dove i giovani sono *i nostri giovani, i giovani figli dell'Italia* a cui bisogna garan-

tire il futuro, dove non ci sono poveri, disoccupati o handicappati, ma solo *persone meno fortunate, indigenti* o più semplicemente quelli che *sono rimasti indietro*.[14]

CODICE MARINETTI

Una delle parole più amate in assoluto da B. – insieme a *protagonista, moderno* e *competizione* – è *futuro* (la costruzione del futuro, la certezza del futuro, proteggere il futuro, guardare con fiducia al futuro, siamo proiettati nel futuro, un futuro degno del nostro passato). Da parte dell'unico capo di governo europeo nato prima della Seconda guerra mondiale, una scelta insolita. Decidete voi se è lungimiranza o marketing.

Il Fattore Zelig ha un corollario: non solo B. vuol essere ogni cosa, ma è anche convinto di saper fare tutto. Una volta ancora, riproduce lo stereotipo. In Italia, dichiarare la propria incompetenza è più imbarazzante che ammettere la propria disonestà.

Edilizia, finanza, editoria, commercio, pubblicità, grande distribuzione, calcio, cinema, televisione: prima di sbarcare in politica, B. s'è cimentato in campi diversi. Mostrando inventiva e determinazione; utilizzando all'occorrenza – su scala industriale, ma secondo lo stile nazionale – amicizie, astuzie e scorciatoie. Ottenendo successi che le amicizie, le astuzie e le scorciatoie, da sole, non possono spiegare. Milano 2 è un esempio di moderna espansione urbana; Mediaset è riuscita dove altri operatori televisivi, non meno spregiudicati, hanno fallito; e l'A.C. Milan è stato più volte campione d'Europa, un terreno dove le amicizie contano poco.

La convinzione di possedere una competenza pressoché universale ha portato B. a occuparsi di moltissime altre cose, nel corso della vita: dall'arredamento degli uffici all'abbigliamento dei collaboratori, dalla disposizione delle fioriere nei vertici internazionali agli studi dei programmi televisivi (Enzo Biagi: «Se avesse una puntina di tette, farebbe anche l'annunciatrice»).[15] È un tratto italiano anche questo: il desiderio di rendersi utili, unito all'illusione di sapere, ci spinge a iniziative temerarie, dove l'altruismo viaggia in coppia con l'esibizionismo.

Se l'isola di Haiti è colpita dal terremoto, B. spedisce Guido Bertolaso così come uno di noi manderebbe il proprio idraulico da un amico con un problema in casa. Se la Russia brucia, B. manda al presidente Medvedev gli aerei antincendio, presentando l'iniziativa come un favore personale. Questo smanioso vitalismo diventa un moltiplicatore d'identità. La coazione a fare – il «*ghe pensi mì*» pronunciato al rientro da un viaggio[16] non è una battuta, è una confessione – si combina col desiderio di piacere agli interlocutori, adottandone modi e gusti. E produce memorabili interpretazioni.

All'assemblea della Coldiretti, nel 2009, gli viene offerto un assaggio di mortadella, per mostrare la qualità del prodotto. B. afferra il vassoio, scende dal palco e si mette a servire i presenti, come un cameriere.[17] Nel 2010, quando viene rivelato lo spot *Magic Italy* (sic), di chi è la voce narrante che illustra le bellezze del Paese? Sua. B. intendeva assumere l'interim del Turismo, dopo quello dello Sviluppo Economico? No, era semplicemente convinto d'essere l'italiano più conosciuto e apprezzato all'estero. Sembrava impossibile far peggio di France-

sco Rutelli[18] nella parte, ma B. ci ha provato, mostrando
che in Italia il narcisismo è bipartisan, e spesso inversa-
mente proporzionale al risultato.

Scrive Massimo Giannini: «Non c'è vizio privato o virtù
pubblica, carattere culturale o ethos popolare, che l'uomo di Arcore non abbia saputo al tempo stesso anticipa-
re o amplificare, in un vorticoso e a tratti misterioso
gioco di specchi in cui alla fine era ed è sempre più difficile distinguere chi riflette che cosa».[19]

Si chiede Ernesto Galli della Loggia: «È proprio il
comportamento del Cavaliere la causa della mancanza
di sobrietà, diciamo pure della volgarità, che sembra ca-
ratterizzare l'attuale scena pubblica italiana? O invece
quelle caratteristiche berlusconiane non sono altro che
una manifestazione, sia pure esasperata, di una trasformazione più generale riguardante tutta quanta la nostra
società?».[20]

In sostanza: se Zelig imita i nuovi italiani, e i nuovi
italiani ci lasciano perplessi, è giusto prendercela con
Zelig?

Be', assolverlo non possiamo, visto che è un leader e,
come tale, ha il dovere di condurci. Spesso, invece, B. dà
l'impressione di seguire mode, umori e cattive abitudini.
Non si ricordano scherzosi inviti alla correttezza fiscale;
se ne ricordano molti alla lussuria e ad altri vizi capitali.

Avallare i nostri istinti – non sempre encomiabili – e
poi rassicurarci, imitandoci.

C'è chi sostiene che l'abilità di B. sia perfino superiore. Quegli istinti li avrebbe incoraggiati con la sua televisione commerciale, diventata presto modello per la tele-

visione pubblica. Nessuno lo accusa d'aver pianificato tutto, ovviamente. Nessuno crede che B., alla fine degli anni Settanta, abbia deciso di creare milioni di italiani nuovi, disposti a votare per lui quindici anni dopo.

Anche perché, se così fosse, non sarebbe Zelig. Sarebbe Belzebù.

7

Fattore Harem

«Sa, quando un italiano si scatena...»
Philip Roth, *Zuckerman scatenato*

Casoria, periferia nord di Napoli. Domenica sera d'aprile. B. arriva alla festa di compleanno di una diciottenne. «C'è una sorpresa!» grida la mamma della festeggiata. Lui entra a luci spente nella sala.

L'ingresso di un protagonista. Non gli basta esserlo nelle occasioni in cui un capo di governo viene applaudito e riverito. Sa che sotto quegli applausi c'è abitudine, e dietro quelle riverenze ipocrisia. A Villa Santa Chiara, complesso per ricevimenti sulla Circumvallazione, lo stupore negli occhi dei presenti è puro. Avesse potuto entrare nella sala a porte chiuse, come Qualcuno prima di lui, l'avrebbe fatto volentieri.

«Lo chiamo Presidente, ma qualche volta mi scappa *papi*», spiegherà la ragazza, Noemi Letizia. L'attenzione della signora Berlusconi si concentra su quest'aspetto («Non posso stare con un uomo che frequenta le minorenni!»). I telegiornali pubblici e privati, con qualche eccezione, tacciono. Le riviste si occupano dell'aspetto mondano. Solo alcuni quotidiani rilevano contraddizioni.

Non è vero che il presidente del Consiglio abbia visto Noemi «solo in presenza dei genitori», come sostiene. La ragazza è stata fotografata a una cena a Villa Madama con gli imprenditori della moda, ai quali è stata presentata come «una stagista, figlia di carissimi amici di Napoli»; ed è stata poi ospite a Villa Certosa, in Sardegna, insieme a un'altra trentina di ragazze. Non è vero neppure che Benedetto Letizia, il padre, sia «un vecchio socialista, l'autista di Craxi» (Bobo Craxi: «L'autista di mio padre si chiamava Nicola, era veneto ed è morto»). La conoscenza, secondo l'ex fidanzato, sarebbe avvenuta in altro modo. Noemi è stata sottoposta da Emilio Fede a un provino come «meteorina» – la ragazza che legge il meteo dopo il telegiornale – e poi notata da B. in un book fotografico.[1]

Scandaloso? Forse. Bizzarro? Certo. B. è apparso in una festa nella periferia di Napoli – mobilitando scorte, cambiando programmi – e non poteva sperare di passare inosservato. La meraviglia di fronte all'evento miracoloso – l'uomo più potente e più ricco d'Italia al compleanno di una ragazzina di Casoria! – è la tentazione cui non ha saputo resistere. *Il grande Gatsby* è una buona guida per capire l'accaduto, non un saggio di Gaetano Salvemini.

Non solo. Per molti maschi italiani la vicenda è rassicurante. Consente private illusioni e inconfessabili giustificazioni. Se non per una frequentazione – sono poche le teenager che si accompagnano ai settantenni – per una tentazione notturna, un'abitudine televisiva, uno sguardo alle ragazze davanti a una scuola. B. ha trovato pochi difensori, dopo questa vicenda. Ma ha incassato imbarazzati silenzi: gli bastano.

Avrebbe potuto ricordare come Johann Wolfgang Goethe, esattamente alla stessa età (72 anni), si invaghì della diciassettenne Ulrike von Levetzow, cui dedicò l'*Elegia a Marienbad* («Ora sono lontano. A questo preciso momento cosa conviene? Io certo non lo so. Di su di giù mi mena brama incontenibile...»). La fanciulla ricambiava le attenzioni, attratta dal successo di un uomo di cui il domestico vendeva in segreto i capelli.[2] Certo: non sarebbe facile, oggi, invocare il precedente. Noemi non è Ulrike, Casoria non è Marienbad, Goethe non scriveva su «Chi» e a Palazzo Grazioli i capelli sono troppo rari perché i domestici possano farne mercato.

Decifrare l'ossessione femminile di B. – dire che gli piacciono le donne è un eufemismo – è importante. Permette di capire perché il Fattore Harem non solo non l'abbia danneggiato, ma continui a sostenerlo: politicamente e psicologicamente.

L'impressione è che questa passione infinita – rara è un'occasione pubblica senza un'allusione erotica o una galanteria – sia la somma di una serie di elementi: giovanilismo, bellezza come merce di scambio, apprezzamento per le donne, orgoglio maschile. E quel che resta della lussuria, naturalmente.

Cominciamo dal giovanilismo: una debolezza dell'Occidente che invecchia, non soltanto di un italiano nato nel 1936, anno XIV dell'era fascista. L'uomo non è Dorian Gray, anche se usa una televisione come quadro.

L'ossessione per la gioventù – che per i pubblicitari è un affare – per B. è un sostegno. La compagnia dei coetanei – esclusi pochi amici – lo intristisce; mentre una corte di giovani donne[3] lo rende felice come il protagonista di una novella del Trecento. Anche in questo il governante somiglia ai governati. I padri che corteggiano le amiche delle figlie, e le madri che sperano d'esser confuse con loro, sono un classico italiano.

Ci sono molti modi di ingannare il tempo che passa. C'è chi, alla meditazione, preferisce la vita notturna. Ottobre 2008, discoteca Lotus di Milano. B. entra alle due di notte, rimane cinque ore. «Se dormo tre ore ho ancora l'energia per fare all'amore per altre tre» dice all'ingresso. «Tra un'ora devo andare a lavorare ma mi sento fresco. Pensare che ero alla notte bianca di Parigi ma poi un amico mi ha invitato a questa festa a cui non ho saputo resistere» spiega all'uscita.[4] Perché lo fa? La risposta forse l'ha ottenuta Ferruccio de Bortoli quando gli ha domandato: era opportuno andare alla festa di Noemi a Casoria? B. ha risposto: «Non partecipare a queste cose non mi farebbe più sentire me stesso».[5]

Un'ansia socialmente condivisibile, umanamente comprensibile, politicamente commestibile. Molti uomini vengono fermati dalla morale, dal decoro, dalla moglie, dalla stanchezza: lui no. B. ha di sé un'idea dannunziana, che esclude il senso del ridicolo. «Signorina, non si deve preoccupare, sono di nuovo single» ha detto a una ballerina, durante il pranzo ufficiale nella visita a Sofia per inaugurare una statua equestre di Garibaldi in compagnia del primo ministro bulgaro Boiko Borisov. «Andate a parlare con il prete, col farmacista, col medico» ha invitato i candidati alle elezioni politiche 2008. «Io ho ottimi rapporti con i farmacisti e non certo perché compro da loro il Viagra, a noi non serve...»[6] Noi: una richiesta di complicità che si estende a tutto l'elettorato maschile.

Alle donne invece si chiede il numero di telefono; si rivolge un complimento quando si mettono in ghingheri (anche se si chiamano Michelle Obama); si suggerisce di frequentare uomini maturi; si sussurra che sono da sposare. Così è accaduto con Mara Carfagna, e la cosa – lo abbiamo visto – ha fatto infuriare la moglie Veronica.[7] Si potrebbe liquidare l'episodio come la disavventura di un galletto sbranato dalla chioccia dopo aver fatto il pavone ai Telegatti (un'altra prova che l'Italia è uno zoo). Ma la questione è più affascinante e complessa.

B. rappresenta la nazione perenne, fatta di prevedibili galanterie, eccitazione continua, apprezzamenti sinceri. Gli italiani non guardano la gente: la vedono. Se quella gente porta la gonna corta e la camicetta aderente, lo sguardo è particolarmente attento. Può essere fastidioso o gratificante: dipende dagli occhi e dall'occasione. Chiedete agli elettori di B., e anche ai detrattori, se sono sinceri: ammetteranno che l'uomo dice in un microfono quello che milioni di maschi sussurrano intorno alla macchinetta del caffè. La cosa non dispiace, perché la sfrontatezza dei potenti diventa qualcos'altro: spontaneità.

D'accordo, dirà qualcuno. Tutto questo può spiegare, forse, la complicità degli italiani. Ma il voto delle italiane?

Per cominciare, sono abituate a nuotare in questo mare: lo sguardo di B. non è diverso da quello degli adolescenti, dei pubblicitari e di tanti uomini per strada. Quasi tutte sono indulgenti, alcune addirittura lusingate.

Non pensano che alcuni di quegli sguardi – non tutti – sono il sigillo sulla loro subalternità. Le donne in Italia vengono assunte meno, pagate peggio, promosse con difficoltà. Fino a una certa età credono addirittura di poter vincere, a questo gioco. Ma contro il banco, alla lunga, non si vince. Si può solo perdere un po' più tardi.

C'è anche un altro elemento. B. – sultano e cavaliere, intenditore e ammiratore – è curioso delle donne. Spesso commenta dettagli di trucco, abbigliamento o accessori. Oppure esprime curiosità di natura sessuale – talvolta senza intenzioni sessuali. Accade fin dai tempi della televisione. Lorella Cuccarini, festeggiando i venticinque anni di carriera, ha ricordato: «E pensare che Berlusconi criticava le mie tette. Diceva che ero l'unica fra le sue star a non avere le misure che piacciono a lui». Era la notizia più letta su Corriere.it il 24 luglio 2010. La gente s'interessava dell'opinione del capo del governo: non sulle misure economiche, ma su quelle giuste per un varietà televisivo.

L'attenzione non riguarda solo donne giovani, anche se a loro va la preferenza.

B. promette una dentiera alla signora Anna, settantatreenne vittima del terremoto in Abruzzo (episodio ripreso dal Tg1, senza indicare che i protagonisti fossero coetanei).

B. scende incolume dal palco, dopo aver definito le sostenitrici di mezza età «la sezione menopausa» (alcune hanno perfino applaudito).

B. vezzeggia il ministro dell'Istruzione Mariastella Gelmini («Come sei bella, sembri una bambina»).

B. rivolge complimenti irrituali alla presidentessa di Confindustria, Emma Marcegaglia («Ieri sera è venuta a trovarmi a Palazzo Chigi e un commesso mi ha detto: "C'è di là una velina"»).

B. si entusiasma vistosamente per una crocerossina alla parata del 2 giugno, Festa della Repubblica.[8]

Scrive da Varallo Sesia il signor Roberto Velatta: «Sono ora ottantenne, ho fatto il cameriere sulle navi della Costa e, durante i turni nel salone delle feste, Berlusconi ho potuto conoscerlo bene. Oltre a essere un buon cantante era un comunicatore molto simpatico, specie con le donne. Sono felice quando leggo dei suoi successi imprenditoriali e politici. Quindi, se può, cerchi di trattarlo un po' meglio».[9] Ho risposto: d'accordo. A un patto: quando viene a Milano mi racconta del giovane Silvio sulle navi. Prometteva già alle belle signore un posto di governo?

C'è poi, naturalmente, l'orgoglio maschile: un sentimento antico e prepolitico, che in Italia resiste (e in Europa, spesso, viene ben camuffato). Una ragazza come accompagnatrice, intrattenitrice, ammiratrice ambulante, testimone affascinata, affusolato trofeo.

Come è finita per esempio Federica Gagliardi, 28 anni, al G20, dove s'è fatta scattare una foto con Obama e Sarkozy? Leggiamo: «Dalla delegazione italiana è stato risposto che durante la campagna elettorale della governatrice del Lazio, la giovane aveva conosciuto il Cavaliere. Ed espresse il desiderio di partecipare a una missione internazionale: richiesta soddisfatta grazie all'assenza di una delle segretarie del premier».[10] Una risposta surreale: ma il pubblico sorride e s'accontenta.

Il rituale del corteggiamento, che in altre culture viene visto con sospetto, in Italia resiste. «Quando fai un complimento dev'essere vero, nella politica è come fare la corte alle ragazze» ha spiegato B. ai giovani di Confindustria; poi ha suggerito loro una frase di Tagore come tecnica di seduzione: «I sogni fuggono dai tuoi occhi neri come le rondini a primavera dal loro nido». «Da usare con prudenza» ha aggiunto.[11]

Le conquiste femminili, vere o verosimili, sono medaglie al valore e strumenti di marketing. La fidanzata turca torna utile a Istanbul, le ragazze d'oltralpe sono una credenziale a Parigi («Tra i francesi sono popolarissimo: basta pensare a quante fidanzate ho avuto!»).[12] Il tutto viene detto scherzando, in modo da garantirsi un'uscita di sicurezza. L'impressione è che queste frasi siano, insieme, sincere e popolari: il cuore italiano lotta con le stesse tentazioni.

Nella rappresentazione pubblica del matrimonio B. ha cercato, finché ha potuto, di essere più tradizionale: le foto con moglie e figli non sono mai mancate. È arrivato perfino a teorizzare la sincerità nell'ipocrisia: «Le darò una risposta malandrina, sono stato frequentemente fedele» ha spiegato durante un'intervista radiofonica nel 2006, quando ha annunciato anche un voto di castità[13] funzionale alla vittoria elettorale (mancata per sole 25.000 preferenze su 38 milioni).[14] Un voto provvisorio, naturalmente. Come chi digiuna tra un pasto e l'altro, e pretende di dimagrire.

Talvolta B. scivola, pronuncia frasi infelici, si ripete: ma la sensazione è che gli venga addebitata più la carenza di fantasia che la mancanza di tatto. Nel maggio 2009, a L'Aquila, accompagnando tra le rovine del terremoto Lia Beltrami, assessore alla solidarietà della provincia di Trento, ha chiesto: «Posso palpare un po' la signora?». Nel luglio 2010, visitando l'ateneo telematico e-Campus di Novedrate (Como), creato dal fondatore del Cepu Francesco Polidori, avrebbe detto: «Mi accusano sempre di circondarmi di belle ragazze senza cervello. Ecco invece qui delle belle ragazze che si sono laureate con il massimo dei voti e che non assomigliano certo a Rosy Bindi».[15] La vicepresidente della Camera, irritata, ha commentato: «Un segno della fine dell'impero».

Non è così. L'impero colpisce ancora, e sempre dove siamo più deboli.

La vanità è il carburante del suo motore; il pubblico, la stazione di servizio preferita. Tra un applauso, un complimento e un aneddoto, esce la visione del mondo. Dalla bellezza B. non è solo attirato, la considera anche una merce di scambio e uno strumento di successo, di carriera e di ascesa sociale.

Memorabile – perché sincero – il consiglio fornito in televisione a una ragazza bruna che gli chiedeva come una giovane coppia costretta a lavori precari «potesse affrontare il pagamento di un mutuo o crearsi una famiglia». La risposta: «Be', questo è il consiglio che, da padre, mi permetto di dare a lei, dovrebbe cercarsi magari il figlio di Berlusconi o di qualcun altro che non avesse di questi problemi. Questo, con il sorriso che ha, lei potrebbe anche permetterselo». Un'affermazione politicamente blasfema, dovunque. Ma molti italiani non solo la pensano allo stesso modo; se hanno una figlia, glielo dicono: trovati un buon partito, finché puoi.

B. sa che ministre belle e giovani avranno più attenzione dei colleghi maschi di mezza età, e le loro gambe accavallate valgono più ascolti e contatti di qualsiasi discorso. Tutti i politici del mondo conoscono la forza di certi richiami: dall'Eliseo di Carla Bruni Sarkozy al Midwest americano, dove Sarah Palin ha sfondato più col petto che col cervello. La differenza è che B. lo teorizza pubblicamente, senza imbarazzo. In un congresso di partito ha esordito così: «In prima fila vedo rappresentanti di notevole livello estetico. Come è noto, sono innamorato di mia moglie, ma non ho perso il senso estetico e lì ci sono gambe straordinarie».[16] Col senno di poi, possiamo dirlo: la conclusione era più sincera della premessa.

La considerazione commerciale della bellezza si estende ai maschi. Presentando l'A.C. Milan nell'estate 2010 – dopo aver confermato «con me in panchina avrebbe vinto lo scudetto» – ha spiegato che il nuovo acquisto Mario Yepes «è un difensore arcigno e pure bello, cosa che non guasta mai»; mentre il centravanti Marco Borriello «è talmente bello da far innamorare tutte le tifose». E Massimiliano Allegri? «A Dolce e Gabbana non potevamo dare uno con un fisico migliore per portare le nostre divise. È un gran bel ragazzo e sarebbe perfetto per fare la star del cinema, ma è un bravo allenatore.»[17] Almeno quello.

Infine c'è la lussuria.

Nel giugno 2010, parlando agli imprenditori italiani e brasiliani a San Paolo, ha dichiarato di soffrire di mancanza di memoria e ha continuato: «Stamani in albergo volevo farmi una "ciulatina" con una cameriera. Ma la ragazza mi ha detto: "Presidente, ma se lo abbiamo fatto un'ora fa..."». Un anno prima – sempre davanti a un microfono, il suo confessionale – aveva ammesso: «Non sono un santo, l'avete capito tutti».[18]

Esatto, Presidente. Non sappiamo come, ignoriamo quando e dubitiamo quanto. Ma forse abbiamo capito perché.

8

Fattore Medici

Sarebbe interessante chiedere alle ragazze reclutate a 50 euro: perché avete accettato d'essere scritturate nell'avanspettacolo di proselitismo islamico messo in scena a Roma per il colonnello Gheddafi?[1] Lavorando come baby-sitter, avreste guadagnato di più. Facendo le comparse religiose, avete preso poco, tollerato molto e messo in imbarazzo il Paese. Per quel che conta, se ancora conta.

B. è stato invece coerente. Da decenni sostiene che il cliente ha sempre ragione, e la regola vale per tutti: inserzionisti permalosi, elettori umorali, alleati scomodi e ospiti esigenti. Così Gheddafi, la cui idea di modernità è semplice: lui sfoggia e gli altri ammirano; lui parla e gli altri ascoltano; lui ordina e gli altri obbediscono.

Il mondo cattolico, scosso da affermazioni provocatorie («L'Europa abbracci l'Islam»), è apparso – per una volta – unito e reattivo. Il quotidiano «Avvenire» s'è evangelicamente scocciato («Un'incresciosa messa in scena»). Perfino Comunione e Liberazione, spesso ossequiosa col potere, s'è ribellata. Maurizio Lupi e Mario Mauro – rispettivamente vicepresidente della Camera e capogruppo Pdl al Parlamento Europeo – si sono domandati: «È ancora opportuno offrire il nostro Paese come palcoscenico per gli spettacoli del raìs?».

La reazione dell'opinione pubblica è stata, invece, prevedibile. Stupore: non indignazione. Curiosità: non domande. Ironia: non proteste. Gli italiani hanno osservato la silenziosa guerra di tinture dietro le promesse d'amicizia tra i leader, recepito gli annunci di accordi commerciali, guardato i cavalli berberi, ascoltato i proclami libici. Poi sono passati ad altro.

Perché il Gheddafi-show è stato tollerato?[2] Risposta ufficiale: solo l'Italia è così vicina alla Libia e ha tanti interessi laggiù! Spiegazione ufficiosa: siamo abituati a non discutere il potere. Si chiami Signore o Principe, Re o Imperatore, Duca o Duce, Presidente o Raìs, noi l'accettiamo, da secoli. Magari lo deridiamo, l'aggiriamo, lo imbrogliamo: ma non lo discutiamo.

Il potente, in Italia, non è costretto all'*understatement* del potere, come nelle altre democrazie occidentali. Può sfoggiarlo: buona parte dell'opinione pubblica vivrà gli eccessi di lui come motivo di divertimento o, addirittura, d'orgoglio. Lo zar russo o il raìs arabo godono dello stesso privilegio. Il presidente Medvedev può arrivare a Cervinia e pasteggiare a mezzogiorno con champagne da 1000 euro a bottiglia; Gheddafi può trasformare Roma in un set televisivo personale; B. non deve nascondere ciò che ha e ciò che fa (feste e ragazze comprese). Ecco perché Palazzo Chigi va d'accordo con Tripoli e il Cremlino, da quando gli inquilini sono questi.

La copertina più istruttiva, tra i fascicoli distribuiti dal quotidiano «Libero» e intitolati *Berlusconi tale e quale* (sottotitolo: *Vita, conquiste e passioni di un uomo politico unico al mondo*), è quella del n. 5, dedicato all'imprenditore edilizio, inventore di Milano 2. B. è accosciato in una distesa di crocus, nella sua villa di Arcore. Ne annusa uno e osserva con occhio severo tutti gli altri. A pagina 95 vien svelato l'arcano: «Scelgo i fiori per i miei giardini» recita la didascalia.

> Dall'automobile scende, lui, Berlusconi, che di Milano 2 cura personalmente ogni dettaglio, compresa la messa a dimora di decine e decine di alberi di alto fusto. Sotto la sua guida essi sono sapientemente collocati, ma la domanda che molti si pongono riguarda il numero di quelli che supereranno lo choc del trapianto [...]. La questione in realtà non esiste, perché tra le molte innovazioni di Silvio c'è anche questa: tra Milano 2 e una serie di vivai disseminati in tutta Italia è stato stipulato un accordo che garantisce la sostituzione degli alberi che non attecchiscono. Pochi sanno che Berlusconi ha una competenza botanica di prim'ordine, frutto della passione che ha sempre avuto per le piante, i fiori e la natura in genere.

Nel 14° fascicolo della serie – pubblicata da un quotidiano teoricamente indipendente – la foto più indicativa è «Silvio, il ministro e il bambino». B. allunga un dito verso un bimbo di circa un anno, chiaramente sorpreso. La didascalia informa:

> Un'immagine emblematica dell'atteggiamento di Silvio Berlusconi nei confronti delle nuove generazioni. Sia lui

che Stefania Prestigiacomo, ministro dell'Ambiente e della Tutela del Territorio, tendono una mano verso il bambino in braccio al padre, che ha esposto ai rappresentanti del Governo i problemi che deve affrontare.

Immagini e linguaggio – inutile nasconderselo – ricordano l'agiografia delle dittature. Nicolae Ceauşescu, nella Romania degli anni Ottanta, non era rappresentato in modo molto diverso. Un parallelo, quello con il *conducător*, suggerito perfino dall'amico di sempre, Fedele Confalonieri. In una intervista ha definito B. «... un despota illuminato, un Ceauşescu buono, ma decisamente anomalo in un Paese democratico».[3] Più lontana nel tempo, ma più vicina a casa, un'altra analogia. Tra Benito «primo rurale d'Italia» a torso nudo nel grano, e Silvio «primo giardiniere» in maglione tra i fiori, non c'è grande differenza, dal punto di vista della comunicazione. L'uno e l'altro posano, fingendo di essere quello che non sono.

Ma entrambi gli accostamenti, sebbene tentatori, sono fuorvianti. Per capire l'atteggiamento di molti italiani non bisogna studiare il comunismo o il fascismo. Bisogna risalire più indietro. Occorre tornare alle Signorie.

La Signoria venne dopo i Comuni. Esordì nel Duecento e fu quasi interamente compiuta nel Trecento. Il governo di un individuo al posto del governo di un gruppo, perennemente in lotta con altri gruppi, classi, fazioni, corporazioni o famiglie. Molti italiani accolsero la novità con favore: allora come oggi.

La Signoria era una imposizione che si basava sul consenso del popolo. Consenso che a B. certamente non è mancato, e sul quale fonda tutte le rivendicazioni: il diritto di rimuovere il presidente della Camera, la facoltà di chiedere lo scioglimento del Parlamento, la pretesa di contestare la legittimazione dei magistrati a giudicarlo.

Il consenso, ai tempi delle Signorie, era espresso per acclamazioni sommarie. Oggi, ovviamente, ci sono le elezioni. Scriveva Giuseppe Prezzolini in *L'Italia finisce. Ecco quel che resta*, un libro pubblicato negli Usa nel 1948, in Francia nel 1951, in Spagna nel 1956 e solo nel 1958 in Italia:

> Il popolo minuto, che aveva avuto poca o nessuna parte nel governo comunale, traeva qualche vantaggio dal governo della Signoria e costituiva il più fedele appoggio contro gli scontenti, contro il disordine e le cospirazioni delle classi superiori espropriate [...]. Le Signorie rappresentavano la liberazione dal potere della classe dei banchieri, dei mercanti, degli industriali e dal conflitto perpetuo tra codeste classi. Per quanto possa sembrare strano, il Signore aveva l'appoggio delle classi inferiori e quasi sempre l'opposizione (almeno segreta) di quelle superiori. Il popolo preferisce trattare con un governante stabile che con una minoranza instabile.[4]

Sostenere che le classi superiori siano state espropriate da B. appare eccessivo; ritenere che oggi siano capaci di cospirazioni è fantasioso. Ma l'evocazione del «complotto dei poteri forti»[5] ricorda una tattica antica: ergersi a difensori delle classi inferiori – per reddito, istruzione, posizione sociale – e istigarle contro le classi superiori. Poiché le prime sono più numerose, il metodo funziona – in una piazza antica o nella democrazia moderna.

Continua Prezzolini:

L'esempio più tipico è la Signoria dei Medici che durò secoli. Da Salvestro a Cosimo, la famiglia abbracciò sempre
la causa dei cittadini più modesti di mezzi contro i mem-
bri della propria classe mercantile. Questa preoccupazione
è avvertita dal popolino ed è compensata con la lealtà e il
desiderio della continuità della stessa potenza governante.

La preoccupazione dell'antico Signore non era disinteressata: la maschera delle rivendicazioni repubblicane
serviva a coprire gli interessi personali. Il popolo lo sapeva e lo giustificava. Una cosa sola non perdonava – e non
perdona – a chi lo governa: le divisioni e la litigiosità, che
restano prerogative dei governati.

Il Signore è solo e domina la scena come una statua im-
ponente domina la piazza di una città. La sua forza,
l'intelligenza, l'ambizione, e specialmente i suoi sospetti lo isolano [...]. Il suo ministro può essere una spia, il
suo cancelliere un traditore, il suo capitano al soldo del
nemico. Ciò che teme dagli altri egli lo ha fatto o si prepara a farlo ad altri.

Di nuovo, l'analogia è sorprendente. B. si è dimostrato,
in molti anni di attività politica, capace di lealtà e amnesie, perdoni e vendette, elevazioni e ripudi. Non ha fatto
nulla per predisporre una successione ordinata. Il partito
è solo il piedestallo del Signore: il suo compito è regger-
ne il monumento.

Nel 2008 gli italiani sono rimasti perplessi, ma non sorpresi, dalle nomine ministeriali di Mariastella Gelmini

(Istruzione, Università e Ricerca) e Mara Carfagna (Pari Opportunità). La prima, nata nel 1973, aveva nel curriculum un diploma di maturità presso un istituto privato diocesano, una laurea in giurisprudenza a Brescia, una migrazione a Reggio Calabria per superare l'esame d'avvocato ed esperienze nella politica locale. La seconda, classe 1975, poteva vantare studi di danza e pianoforte, una laurea in giurisprudenza a Salerno, un sesto posto a Miss Italia, qualche apparizione televisiva e un calendario,[6] di quelli che non si comprano per guardare la data. Il giudizio sull'operato ministeriale di entrambe non cancella un fatto: la nomina è inspiegabile. Se non considerandola per quello che è: un gesto del Signore che sceglie, eleva e – appunto – non spiega.

Chi comanda, in Italia, non deve giustificare le proprie azioni. L'attuale legge elettorale – definita «una porcata»[7] dall'ideatore Roberto Calderoli – prevede liste bloccate di candidati e consente totale libertà di promozione e rimozione. Ne beneficiano, oltre a B., i capi degli altri partiti. Il Parlamento italiano, anche per questo, ospita un'ottantina tra inquisiti, imputati o prescritti; e una ventina di pregiudicati. La proposta di legge «Parlamento Pulito», avanzata da Beppe Grillo e firmata da 350.000 cittadini, giace ignorata in Senato.[8]

Nel Popolo della Libertà la discrezionalità diventa potere assoluto: chi piace al Signore entra; chi gli dispiace esce o resta fuori. La sottomissione è la regola. Questo non esclude che i beneficiati siano meritevoli. Vuol dire che non c'è modo di controllare che lo siano, e di intervenire se non lo sono.

I criteri di selezione sono imperscrutabili. Il fisioterapista del Milan, Giorgio Puricelli, e l'igienista dentale personale, Nicole Minetti, eletti consiglieri regionali della Lombardia nel 2010; il geometra di fiducia, Francesco Magnano, oggi sottosegretario in Regione (attrattività e promozione territorio); Barbara Matera, concorrente a Miss Italia, annunciatrice Rai, «letteronza» a *Mai dire domenica*, «letterata» in *Chiambretti c'è*, interprete di *Carabinieri 7* e «pattinatrice vip» a *Notti sul ghiaccio*: al Parlamento Europeo dal 2009. Si parla del maestro delle cravatte Maurizio Marinella come possibile candidato sindaco di Napoli.

Tra i beneficiati storici: Massimo Maria Berruti, ex guardia di finanza, dopo un'ispezione alla Edilnord (1979) lascia il Corpo per la Fininvest: deputato dal 1996. Romano Comincioli, compagno di scuola, socio nella fondazione di Fininvest e Forza Italia: senatore dal 2001. Salvatore Sciascia, già direttore dei servizi fiscali in Fininvest, vicepresidente di Idra (una società immobiliare di B.), presidente di Quattordicesima holding della famiglia: senatore dal 2008; Alfredo Messina, vicepresidente Mediolanum, presidente Mediolanum Assicurazioni: senatore dal 2008. Mariella Bocciardo, ex moglie di Paolo Berlusconi: deputata dal 2006.

Tra i professionisti: gli avvocati di fiducia Niccolò Ghedini, Gaetano Pecorella, Piero Longo, Massimo Baldini: tutti in Parlamento (i primi due deputati, gli altri due senatori). Carlo Taormina, uno dei legali di punta fino al 2008, deputato di Forza Italia (2001-2006), sottosegretario agli Interni, estensore della legge Cirami sul legittimo sospetto, ora uscito dal Parlamento in seguito a quella che definisce «una crisi morale» («Conosco bene il modo con cui Berlusconi chiede ai suoi legali di fare le leggi ad personam, perché fino a pochi anni fa lo chiedeva a me»). I medici personali Antonio Tomassini e Umberto Scapagnini: il primo, senatore dal 1996 e oggi presidente della Commissione Sanità; il secondo, deputato, per otto anni sindaco di Catania e noto per aver definito B. «tecnicamente quasi immortale».[9]

Alcuni di loro sono capaci, altri meno; alcuni hanno cercato di meritarsi il favore del Signore, altri hanno negato che fosse la causa della loro ascesa. Gabriele Albertini – ex sindaco di Milano scelto da B. – parla oggi di «un ceto dirigente che, anziché essere emanazione dalla base, viene investito dal tocco magico del principe»; e punta il dito contro «una corte di nominati, non di eletti, che difende con i denti il potere elargito dal principe, ma non legittimato dal popolo».[10]

Può farlo: è in esilio, al Parlamento Europeo. Un tempo, per frasi come queste, sarebbe finito chiuso dentro una rocca, su un'isola del Tirreno.

La storia italiana è piena di encomi sospetti. Il rischio della piaggeria non esiste: ci sarà sempre qualcuno con un superlativo più superlativo. Una sera di luglio 2010 B. ha ricevuto il Premio Grande Milano.[11] Tra le motivazioni, la «straordinaria lungimiranza e capacità», il «mirabile esempio», le «eccezionali qualità umane e imprenditoriali» di uno «statista di rara capacità» che sta guidando la nazione verso «una società solidale fondata sull'amore». Il fatto che il premiato e il premiante (Guido Podestà, presidente della Provincia) appartengano allo stesso partito, e il primo abbia scelto il secondo per la carica, e i due si conoscano dai tempi di Edilnord (1976), è fonte di sarcasmo per gli avversari ma è irrilevante per i sostenitori. La reazione più

ragionevole – l'imbarazzo – è assente. Il Signore lo si ama
o lo si avversa.

Stessa estate, poche settimane più tardi. Il co-fondatore del Popolo della Libertà, Gianfranco Fini, è stato
appena allontanato dal partito. B. chiama a raccolta le
parlamentari del Pdl nel Castello di Tor Crescenza, resi-
denza estiva nel Lazio. «Che splendidi orecchini. Come
si dice, grandi orecchini grande voglia!» dice a Nunzia
De Girolamo, giovane coordinatrice sannita del Pdl, alla
prima legislatura. La ragazza si era già fatta notare por-
tando nell'atrio di Palazzo Grazioli un mosaico realizzato
dagli artigiani del suo territorio che ritrae il premier con
la mamma Rosa.[12]

L'ex ministro Claudio Scajola, quand'era in auge, ha
definito B. «il nostro Re Sole».[13] Ha sbagliato epoca, titolo e nazione. Ma aveva capito.

Abbiamo scelto di chiamarlo Fattore Medici. La Signoria
fiorentina, come abbiamo visto, è una guida utile per capire i meccanismi del potere italiano. Ma i buoni esempi
sono anche altrove. Non sappiamo, per esempio, che faccia avesse Cosimo de' Medici, primo signore di Firenze:
non esiste una sua immagine autentica.[14] Di Federico da
Montefeltro – suo contemporaneo – si contano invece
trentatré ritratti, la maggior parte commissionati da lui
stesso,[15] che ne fecero l'uomo più rappresentato d'Italia.
Il duca di Urbino era un maestro del *product placement*:
appassionato bibliofilo, inseriva i suoi ritratti nelle pagine di pergamena dei codici, cosicché fossero i grandi
classici a custodire e trasmettere la sua icona.

Anche il Signore moderno cura meticolosamente la

propria immagine. Se Federico posava per i ritratti a olio, Silvio può scegliere tra fotografia e televisione. I due uomini hanno in comune una consapevolezza – occorre imprimere i propri tratti, come un marchio, nell'immaginario dei contemporanei – e una necessità: migliorare il prodotto.

Nel Montefeltro del XV secolo i pittori di corte scelsero il profilo per nascondere un occhio perduto dal duca durante un torneo in onore di Francesco Sforza, nell'anno 1451; e così finirono per concentrare l'attenzione sul naso aquilino, interrotto da un insolito scalino, facendone l'appendice più famosa d'Italia. A Cologno Monzese, e negli altri luoghi dove si cura l'immagine del Dottore (così viene chiamato da collaboratori e dipendenti), non lavora Piero della Francesca, e lo scopo è diverso: ovviare a quello che è stato definito «un corpo non a misura delle aspirazioni». Bassa statura, calvizie e un fisico *inquartato* (secondo la definizione di Giampaolo Pansa) non aiutano.[16] Ma il pubblico non conosce la realtà; solo la sua rappresentazione.

Celebre e ingenua fu la manomissione di una fotografia scattata il 5 maggio 2003 nella prima sezione del Tribunale di Milano, dove B. s'era recato per rendere una dichiarazione spontanea nel processo Sme, nel quale era indagato per corruzione. Nello scatto da dietro – i fotoreporter dovevano lavorare dal fondo dell'aula per mancanza di spazio – si vede la chiazza della calvizie: l'immagine è pubblicata da «Newsweek» il 12 maggio. Nella copertina del settimanale «Panorama» del 15 maggio – edito dalla Mondadori, proprietà di famiglia – la calvizie è scomparsa. Al suo posto, un tappeto di capelli scuri.[17]

B. tiene a queste cose. L'ossessione estetica non soltanto lo rende umano, in un Paese che adora specchiarsi nelle vetrine; ma conforta chi lo stima o, comunque, lo vota. Nessun ammiratore è disposto a tollerare che l'oggetto della propria ammirazione sia immeritevole: finirebbe per dubitare del proprio sguardo.

Silvio lo sa, e cerca di rispondere alle aspettative. Non viene dalle armi, come Federico; viene dalla pubblicità, dove tutto deve apparire perfetto. Dietro Federico, nella tavola a tempera, si vedono gli alberi sparsi del Montefeltro; dietro Silvio, nell'inquadratura televisiva, si notano i fondali azzurri, i libri sullo scaffale o i sostenitori in festa. L'uno e l'altro vengono sempre ritratti senza un capello grigio. Il moderno Signore non accetterebbe di ritrovare, nel ritratto più celebre, le verruche che compaiono sulla guancia sinistra del duca di Urbino, traccia di una malattia giovanile della pelle. Piero della Francesca voleva essere realistico, al pari dei pittori fiamminghi del XV secolo. I ritrattisti berlusconiani puntano invece all'oleografia, come gli illustratori americani del XX secolo.

C'è di più: l'uomo che cavò un occhio a Federico, costringendolo all'eterno profilo, si chiamava Guidangelo de' Ranieri: prima della cavalcata fatale ricevette in dono dal duca una catena d'oro.[18] La donna che ha intaccato la reputazione di Silvio, obbligandolo ad ammettere pubblicamente abitudini che usava tener private, si chiama Patrizia D'Addario. Anche lei potrebbe aver ricevuto un ciondolo, dopo la cavalcata fatale.

B. insiste sul «partito dell'amore»,[19] e si è preso la sua razione di incredulità e diffidenza. Come spesso accade, in quell'insistenza sono mescolati fiuto e tattica. Il Signore vuole davvero essere amato, e soffre quando questo non accade. Non intende cambiare stile, amici o decisioni, per conquistarsi quell'amore. Lo vuole e basta.

Alexander Stille – oggi un critico feroce – descrive così l'epilogo del suo primo incontro con *Citizen Berlusconi*, avvenuto nel 1996:

> «Lei non capisce», disse alla fine della nostra conversazione, adagiandosi cautamente nel divano bianco del suo salotto, come per raccogliere le forze per un estremo tentativo di farmi vedere la luce. «Io nella vita ho ottenuto tutto ciò che un uomo possa desiderare. Non ho più niente da guadagnare personalmente», aggiunse scattando all'improvviso in avanti e alzando di diversi punti il proprio livello di intensità, come immagino avrebbe fatto nell'attacco finale a un cliente indeciso: «Io ho avuto questa esperienza straordinaria, unica, e voglio offrire un contributo alla nazione. So creare, so comandare, so farmi amare».[20]

Questa convinzione è, insieme, rivelatrice dell'uomo e spiegazione del suo successo. Il desiderio di essere apprezzati spinge a cercare ossessivamente il consenso; ed è gratificante, per molti, sapere di poter dare al Signore ciò che chiede. Tanti elettori di B. s'incattiviscono al pensiero che qualcuno non lo ami. L'incoerenza non li disturba. Li disturba invece, e molto, la convinzione che le buone intenzioni di un capo magnanimo non vengano apprezzate come meritano.

La spasmodica necessità di approvazione è legata, quasi certamente, alle attività del passato. L'ideatore di Milano 2 voleva la felicità dei residenti; il proprietario della Standa mirava alla soddisfazione dei consumatori; il presidente dell'A.C. Milan chiedeva l'affetto dei tifosi; l'importatore di *Dallas* e *Baywatch* sognava la fedeltà dei telespettatori. Anche l'editore pretendeva il sostegno amoroso dei suoi giornali, nel momento dell'ingresso in politica: e quando non è stato unanime, s'è sentito tradito. B. venne in redazione al «Giornale», l'8 gennaio 1994. Non parlò come un editore ai giornalisti, ma come il Signore alle truppe: «Non è più tempo di usare il fioretto, occorre tirar fuori la sciabola».

Alcuni dei presenti hanno rifiutato di farsi arruolare. Ma soldati di ventura, in Italia, se ne trovano sempre.

Ecco perché l'attenzione straniera ci mette a disagio: appare come una mancanza di rispetto al Signore. Ogni italiano conosce questo fastidio, questo imbarazzo che diventa rimozione. Non tutti vogliono ammetterlo.

Nel marzo 2010 Bbc2 ha trasmesso *The Berlusconi Show*. Dalle 19 alle 20, prima serata televisiva inglese. Il protagonista viene descritto come un abile uomo d'affari, un populista carismatico, un donnaiolo impenitente e un politico dalle frequentazioni spericolate.

Il programma intendeva ritrarre il personaggio, senza forzature polemiche, ma così facendo offriva elementi che il pubblico britannico, per tradizione e cultura, ritiene stupefacenti. Se il primo ministro venisse scoperto a Downing Street con una donna che non è sua moglie, e si rivelasse poi una prostituta, quand'è atteso all'ambasciata americana per festeggiare l'elezione del nuovo presidente degli Stati Uniti, dovrebbe dimettersi dopo un'ora. In Italia, semplicemente, non accade.

Se all'estero si stupiscono, e lo attaccano, il Signore ha uno scudo: la nazione. «Il discredito non si getta solo sul presidente del Consiglio, ma va anche ai nostri prodotti, alle imprese, al made in Italy» ha tuonato davanti agli imprenditori di Monza nell'ottobre 2009. «Queste assurde e ridicole accuse [...] sputtanano il presidente del Consiglio, il Paese e la nostra democrazia!» ha gridato agli elettori di Benevento.[21] Peccato che undici mesi dopo, a Jaroslavl' in Russia, B. abbia accusato i giudici italiani («Un'oppressione, una cosa che in democrazia non può essere accettata»), deriso il presidente della Camera («Vuole la sua aziendina») e criticato la nostra Costituzione, prima di concludere: «Putin e Medvedev sono un dono di Dio al popolo russo».[22]

L'identificazione del Signore con la nazione è una tentazione che va respinta. Ma B. non sente ragioni. Gli ambasciatori italiani vengono spinti a protestare coi giornali stranieri, i ministri lanciano strategie planetarie (la «task force anti-detrattori» di Michela Vittoria Brambilla). In una democrazia, il potere viene controllato con severità e criticato con durezza: dall'opposizione, dagli elettori, dai media nazionali e internazionali. Clinton e Bush, Blair e Kohl, Zapatero e Chirac hanno subìto violenti attacchi personali. Obama s'è infuriato con Fox News, che l'aveva preso di mira. Nessuno ha accusato i critici, interni ed esterni, di diffamare la nazione.

Avrebbe potuto farlo un Medici o un Montefeltro, invece.

9

Fattore T.I.N.A.

In realtà Berlusconi lo avete inventato voi. È figlio della demonizzazione che lo accompagna da quando è sceso in campo. È figlio della vostra denigrazione permanente, dell'irrisione di tutto ciò che fa, che dice, che indossa, che pensa. È figlio della vostra intolleranza verso l'unico Padrone contro cui vi siete scagliati negli ultimi decenni, magari con il plauso degli altri padroni. È figlio del malgoverno dei vostri governi, della vacuità dei vostri leader, dell'arroganza culturale delle vostre caste, intellettuali, giudiziarie, mediatiche. È figlio di tutto ciò che gli attribuite.[1]

Marcello Veneziani, nella sua invettiva, sceglie di ignorare le colpe della destra italiana; ma fotografa alcuni vizi della sinistra. E ci aiuta a capire una cosa: i vincitori riescono a vincere perché i perdenti sono decisi a perdere. Votare è una questione di alternative.

«La sinistra perde non solo perché è arrogante, presuntuosa e insincera» scrive Luca Ricolfi autore di *Perché siamo antipatici?*. «Perde anche perché non capisce la società italiana, non è in grado di guardare il mondo senza filtri ideologici, non sa stare fra la gente, ha perso del tutto la capacità di ascoltare e la voglia di intendere.»[2]

Il governatore della Puglia Nichi Vendola – uomo di sinistra – sembra d'accordo: «La forza di Berlusconi sta nella nostra debolezza».[3]

A cosa è dovuta? Vediamo. A un passato comunista trattato spesso con noncuranza. Alle divisioni, agli egoismi, all'inadeguatezza, alle carriere a vita. Alle ambivalenze, alle incertezze e alla mancanza di programmi chiari. Al vezzo di esortare la nazione, quando l'avversario l'assolve. All'incapacità di ascoltare la pancia degli italiani, sulla quale invece si appoggia da anni, premuroso, l'orecchio di B., in grado d'interpretarne ogni sussulto.

La maggioranza, per quarantaquattro anni (1948-1992), ha votato Democrazia Cristiana, e perfino Partito Socialista, pur di tener lontano dal governo il Partito Comunista. Quando Tangentopoli (1992-1993) ha sepolto Dc e Psi, i post-comunisti – usciti relativamente indenni, per motivi su cui ogni italiano ha un'opinione – avrebbero potuto imboccare le strade battute dalla socialdemocrazia europea, oppure la via aperta dal democratico americano Bill Clinton, da pochi mesi alla Casa Bianca.

Non è andata così. Da allora a oggi è stato un susseguirsi di salite e discese, deviazioni e scorciatoie, nomi e sperimentazioni, di cui gli elettori hanno capito poco e gradito meno. Si è predicata la solidarietà a una nazione devota all'intraprendenza; si è offerto il riscatto sociale a gente che sogna il divertimento personale; si è parlato di

146

doveri a chi bada soprattutto ai diritti; si è auspicata «una nuova progettualità» (senza indicare i progetti) a un popolo che si esalta negli imprevisti; si è cercato di vendere l'uguaglianza e la fraternità a chi, se deve prendere in prestito un sostantivo dai francesi, sceglie la libertà. Magari di fare quello che gli pare e piace.

L'impressione è che la sinistra – a differenza dell'avversario – non abbia capito quanto fossero cambiati gli italiani. Il processo di edonizzazione nazionale ha coinvolto tutto l'arco costituzionale: i single comunisti, rientrando a casa la sera, buttavano un'occhiata alle ragazze di *Drive in* come gli scapoli democristiani e missini non accompagnati. B. l'ha capito al volo, e si è dedicato corpo e anima – in quest'ordine – a lodare l'esistente. Gli avversari, invece, hanno voluto chiudere gli occhi. Addormentandosi: succede.

La sveglia di Romano Prodi e dell'Ulivo ha funzionato perché cauta: modernizzeremo, liberalizzeremo ed europeizzeremo l'Italia, ma promettiamo di non disturbarvi troppo. Sabotato il professore – due volte, nel 1998 e nel 2008 – a sinistra è ripartito il coro delle sperimentazioni rissose, accompagnate dal controcanto di Fausto Bertinotti. Lui aveva le idee chiare, peccato che fossero quelle sbagliate, e appartenessero a Rifondazione Comunista: un aggettivo che entusiasma un italiano su venti, e spaventa gli altri diciannove. Ecco perché B., come vedremo, lo incolla a qualsiasi avversario. Anche se si stacca subito, un po' di adesivo rimane addosso.

Non solo. La sinistra italiana ha un vizio: ama dire quello che non fa e usa fare quello che non dice. Che B. volesse sbarazzarsi del programma ostile di Michele Santoro, *Annozero*, alcuni italiani lo sapevano; molti lo intuivano; gli altri lo sospettavano. Che la vittima accettasse di monetizzare la resa, invece, ha lasciato tutti sbalorditi. L'accordo con la Rai, secondo i giornali, valeva diversi milioni di euro. Il conduttore rivale, Bruno Vespa, ha commentato sarcastico: «Essere perseguitati è un affare».[4] Il programma non è stato sospeso, l'accordo non è servito, ma molti indecisi si sono convinti che la sinistra non la racconta giusta; mentre la destra, almeno, dice ciò che fa. Anche quando non sono cose di cui vantarsi – e, diciamolo, accade piuttosto spesso.

Sergio Rizzo, nel suo libro *La Cricca*, riporta il passaggio di un'intervista di Luca Telese a Giorgio Clelio Stracquadanio, deputato del Pdl e fondatore del quotidiano online «Il Predellino». Domanda: «Perché i vostri leader negano che le leggi sulla giustizia siano ad personam?». Risposta: «Sbagliano a negare. Va detto in modo chiarissimo: noi siamo a favore delle leggi ad personam».[5] E la persona, dopo otto capitoli, sappiamo qual è.

A chi sostiene un'opinione del genere si potrebbero dire diverse cose, non tutte gentili. Ma come negare che sia sincero? E questa franchezza, nella primitiva borsa politica italiana, rende. Esiste il dividendo della sincerità ed esiste la cedola dell'ipocrisia. La sinistra, incorreggibile, stacca sempre quest'ultima. E poi si stupisce se il capitale si riduce, e gli investitori scappano.

L'agenda politica del nuovo Partito Democratico è desolatamente vuota, lontana dalle rivendicazioni di Marx e dall'animus dei cattolici progressisti. Insomma, sul fronte del lavoro, ammortizzatori sociali, debito pubblico, eutanasia, non c'è una parola chiara che è una.

[...] *Spiace dirlo ma, soprattutto in questo momento, una sinistra così non serve al bene del Paese.*

Guido Bocchetta

Se la tendenza iniziata alle scorse elezioni si conferma (gli operai che votavano a sinistra ora votano Lega) si ribadirà ancora una volta un concetto talmente semplice da essere quasi stupido: a chi vive la sua vita ogni giorno cercando di far quadrare i conti a fine mese, poco importa se il Berlusca ha una donnina o due. I «compagni» con la barca – che tengono lezioni sui valori veri per cui combattere – lo fanno arrabbiare di più.

Domenica Grangiotti

La sinistra italiana è irrimediabilmente antipatica. Il suo arrogante e presuntuoso senso di superiorità morale la rende insopportabile perché considera gli altri come decerebrati incapaci di qualsiasi capacità critica. Questa totale mancanza d'umiltà impedisce di avere quell'autocritica necessaria ad ammettere i propri errori, quindi di porvi rimedio, come può curarsi chi non ammette la sua malattia? Il vero problema della sinistra sta nella sua incapacità di rapportarsi e adattarsi alla realtà, filtrata sempre attraverso il proprio schematismo ideologico. È inutile dimostrare che Mr. B è un criminale, non è questo che gli toglierà voti: ma a sinistra ancora non lo capite.

Patrizio Giulioni

Queste lettere sono apparse tra il 2009 e il 2010 sul forum «Italians»,[6] e rivelano un sentimento diffuso. La sinistra italiana risulta spesso incomprensibile: anche a chi non ama B. e non lo vota. Propone soluzioni confuse a problemi complessi con volto contrito. Il pubblico vuole invece soluzioni semplici presentate con un sorriso. Forse l'acronimo coniato da Margaret Thatcher per affermare la propria indispensabilità – T.I.N.A., *There Is No Alternative* (non c'è alternativa) – è eccessivo per descrivere la situazione italiana. Ma sembra evidente: B. non soffre di eccesso di concorrenza.

Come abbiamo visto, è riuscito ad accreditarsi come «l'uomo del fare». Fare bene, fare male, talvolta fare per sé. Ma fare, o almeno darne l'impressione. Ai ministri viene chiesto di ripetere in ogni occasione le leggi, le riforme e le iniziative prese dal governo. Ne ha dettato un elenco puntiglioso il ministro Mariastella Gelmini al «Giornale» (dopo aver ricordato che «il Cavaliere è un talent-scout, che manda avanti chi se lo merita. La sinistra, invece, mai una faccia nuova»):[7]

– controllo dei conti pubblici
– blocco degli sbarchi di immigrati clandestini
– piano carceri e piano casa
– abolizione dell'Ici sulla prima casa
– ritorno al nucleare
– nuovo codice della strada
– ripresa delle grandi opere
– riforma dell'università
– riforma della scuola
– riforma del pubblico impiego
– freno alla spesa sanitaria regionale
– lotta alla criminalità organizzata
– ricostruzione dell'Abruzzo
– emergenza rifiuti in Campania
– salvataggio dell'Alitalia

Facciamo la tara alle dichiarazioni di un ministro in carica, allenato nell'arte della semplificazione, dell'enfasi e dell'omissione. Consideriamo che alcuni di questi risultati sono parziali (Abruzzo), provvisori (rifiuti a Napoli), discussi (scuola), di là da venire (carceri, case, nucleare, università); mentre altri sono stati ottenuti a spese del contribuente (Alitalia) o a costo di sofferenze e incomprensioni internazionali (sbarchi clandestini). Alcuni successi sono tuttavia indiscutibili, come il contenimento della spesa pubblica, lodato anche dall'«Economist» o i colpi inferti alla criminalità organizzata.[8]

Le difficoltà e gli insuccessi? Sono attribuibili ad altri: i burocrati, i magistrati, gli avversari, i fantomatici poteri forti, l'economia mondiale. A convincere la massa pensano i principali telegiornali; al Five Million Club – i cinque milioni di italiani bene informati – provvedono i ministri-professori, come Renato Brunetta o Giulio Tremonti: «In Italia» ha spiegato quest'ultimo «abbiamo accumulato una enorme quantità di regole inutili e dunque di effetti-blocco. Un'architettura dominata dall'ideologia della società perfetta, dei diritti perfetti, dei doveri perfetti. Non è così dentro i giganti economici con cui competiamo nel mondo».[9] È l'apologia dell'imperfezione: una materia prima che in Italia non manca di sicuro.

E poi c'è la Lega Nord, che di Tremonti è il sostegno. Un movimento locale, populista e popolare, che vive e cresce grazie alla pochezza degli avversari.

Popolare è un complimento; populista non è un insulto; locale è un fatto. Per galvanizzare gli elettori settentrionali, Umberto Bossi talvolta ne offende altri (Sagra della Patata di Lazzate, 27 settembre 2010: «SPQR, Sono Porci Questi Romani!»). Ma l'antagonismo è la benzina di una nazione che – lo vedremo – ha il Palio di Siena nel motore. Le polemiche passano, la Lega resta, col suo carico di proteste (gli sprechi), proposte (il federalismo fiscale) e fantasie (l'indipendenza della Padania).

Il successo, all'inizio degli anni Novanta, è scaturito dalla reazione al sistema ingessato e corrotto dei partiti: come i plebisciti nei referendum elettorali, come Mani Pulite, come Forza Italia. Oggi, sebbene la Lega sia un pilastro del governo, i leghisti guardano ancora alla democrazia parlamentare con scetticismo sarcastico. Per questo tollerano i cambi di direzione, le incoerenze e la conduzione leninista di Umberto Bossi, certificata da Roberto Maroni: «Lenin sapeva cos'era un partito: migliaia di persone da motivare, uno che comanda e gli altri che eseguono un progetto».

Il leader è astuto: in un Paese di furbi, vince lui. Molta acqua è passata sotto i ponti italiani da quando il Senatùr concedeva interviste alla guida di una Citroën a noleggio sulla A8 Milano-Laghi, guardando l'intervistatore e non la strada (1992); e dal giorno in cui ha trascinato uno sbalordito Johnny Grimond, *foreign editor* dell'«Economist», a vedere il dipinto di un razzo marcato Padania, rappresentato mentre lasciava la palude Italia (1997). «*I show you the rocket!*» è una frase che in redazione a Londra ricordano ancora.[10]

Molta acqua, si diceva: e quella leghista è meno torbida di altre. Chi sta sul ponte, se vuole intuire dove andrà il fiume, lo deve capire, invece di limitarsi a criticare le incoerenze, la battuta infelice o il rocambolesco alleato, spinto fino a Palazzo Chigi e tenuto lì.

Pratico e popolare, celere e celebre: quattro aggettivi che la sinistra italiana fatica ad afferrare, e che B. maneggia come un giocoliere. Pietrangelo Buttafuoco sostiene: «L'unico che rientrerà nel capitolo di storia che racconterà l'Italia dei nostri giorni sarà Silvio Berlusconi, con tutto il suo carico di stravaganza, di eccentricità, di sovversione».[11] L'affermazione va ripulita dal futurismo provocatorio che serve alla destra italiana per sorvolare sui problemi della nostra democrazia, ma contiene un'intuizione. Libero da convinzioni e convenzioni, ricco di entusiasmo e povero di scrupoli, mescolando strumenti pubblici e interessi privati, B. riesce a sembrare più moderno degli avversari.

Quando ha capito che la «destra delle regole», cara a Indro Montanelli, era destinata a restare minoritaria, ne ha creata un'altra: spiccia e populista, muscolosa e arrivista, realista e relativista. Una casa per fuoruscita socialisti e neo-democristiani, anticomunisti ed ex comunisti, ex fascisti e post-fascisti, idealisti e cinici, neofiti e inquisiti. Per formare una maggioranza ha accolto partiti di ultradestra, scampoli liberali e resti repubblicani, indipendentisti siciliani e separatisti settentrionali.

Il risultato è stato un partito senza congressi, con un unico leader, un solo vero alleato (la Lega), passato attraverso pochi nomi in diciassette anni: Forza Italia, Polo delle Libertà, Casa delle Libertà e infine, assorbita Allenza Nazionale, Popolo della Libertà. Le leggi elettorali hanno fatto il resto. Quella in vigore, come sappiamo, assegna la maggioranza in Parlamento alla minoranza più numerosa e meglio organizzata. Indovinate qual è, e chi l'ha messa insieme.

All'opposizione, uno sciame di denominazioni, sigle e

formazioni. La principale è il Partito Democratico (Pd) guidato da Pier Luigi Bersani, tentato dal nuovo Ulivo con Massimo D'Alema e contestato dal vecchio Ulivo di Walter Veltroni (nomi precedenti: Cosa, Quercia, Cosa 2, Partito Democratico della Sinistra/Pds, Democratici di Sinistra/Ds, Alleanza per la Democrazia, Alleanza dei Progressisti, Grande Alleanza Democratica/Gad, Federazione per l'Ulivo/Fed, Democratici per l'Ulivo e altri di cui s'è persa memoria). Seguono l'Italia dei Valori (Idv) di Antonio Di Pietro, il Movimento Cinque Stelle di Beppe Grillo, Sinistra Ecologia e Libertà di Nichi Vendola, l'Alleanza per l'Italia (Api) di Francesco Rutelli, radicali, socialisti e una pletora di movimenti nominalmente comunisti, orgogliosi del proprio anacronismo. Di incerta e provvisoria collocazione l'Unione di Centro di Pier Ferdinando Casini e Futuro e Libertà per l'Italia (Fli) fondato dal presidente della Camera, Gianfranco Fini.

Gli elettori, di fronte a tutto ciò, si sentono sperduti, come consumatori in un gigantesco ipermercato senza marche, senza cartelli e senza commessi. C'è chi compra svogliatamente qualcosa e c'è chi rinuncia. Tutti cercano presto l'uscita.

Li attende un uomo piccolo, sorridente e ben vestito. Tutto il giorno sta sulla soglia, vende a tutti la stessa cosa. Però spiega, semplifica, diverte, rassicura e concede lo sconto.

Molti dicono: perché no?

10

Fattore Palio

La gioia della vittoria sul rivale è ben piccola cosa, se comparata al tripudio per la di lui sconfitta.

Non è una citazione di Francesco Guicciardini, bensì il riassunto di un'antica, modernissima abitudine italiana. La *Schadenfreude* tedesca è la gioia maligna davanti alla sfortuna altrui: un sentimento privato e inconfessabile. La nostra euforia in seguito all'insuccesso dell'avversario è un'emozione pubblica, accettabile e accettata. Poiché non ha un nome, troviamoglielo: Fattore Palio.

Nel Palio di Siena è importante vincere, ma è altrettanto importante – forse di più – che il rivale perda. L'ostilità tra le contrade è reciproca e reciprocamente necessaria. Se l'Aquila detesta la Pantera, la Pantera disprezza l'Aquila; se l'Istrice non tollera la Lupa, la Lupa non sopporta l'Istrice; se la Civetta è ostile al Leocorno, il Leocorno sarà nemico della Civetta.[1] Gli accoppiamenti non sono immutabili, ma sono consolidati. L'avversione è un tango, non si balla da soli.

L'attuale dominatore del Palio è un fantino conosciuto come Trecciolino: non il nome più adatto per introdurre l'analogia col Cavaliere (maiuscolo). Si chiama Luigi Bruschelli, ha vinto dodici volte; solo due di meno del leggendario Aceto (Andrea De Gortes) e a tre lunghezze da Bastiancino (Mattia Mancini), che nella seconda metà del XVIII secolo vinse quindici *carriere*. B. è fermo a tre elezioni generali, ma può vantare successi nelle Amministrative, nelle Europee e nei referendum. Come carriera può competere coi migliori.

Ogni voto, da sedici anni, è su di lui. Gli italiani lo sanno, se ne lamentano ma, in fondo, non ne sono dispiaciuti. Siamo contradaioli politici, da Savona a Siracusa. La fedeltà per un uomo e una bandiera è speculare all'ostilità per la bandiera avversaria e chi la regge. Una questione di pancia, prima che di testa. Non si tifa per una contrada, dicono a Siena: le si appartiene.

La passione e l'avversione per B., come abbiamo cercato di dimostrare in questo libro, sono spesso pre-politiche. L'uomo incarna ed evoca caratteristiche che alcuni italiani trovano rassicuranti e altri insopportabili (forse perché, in parte, le possiedono). Ma chi le trova rassicuranti trova insopportabile che altri le trovino insopportabili. E gli dichiara una guerra silenziosa, che riempie la vita.

La sinistra italiana – lo abbiamo visto – ha la prodigiosa capacità di apparire antiquata e irritante. B. ha intuìto questo sentimento, e lo lubrifica costantemente. Il video-discorso della «discesa in campo» viene ripetuto oggi, con poche varianti.

Le nostre sinistre pretendono di essere cambiate. Dicono di essere diventate liberaldemocratiche. Ma non è vero. I loro uomini sono sempre gli stessi, la loro mentalità, la loro cultura, i loro più profondi convincimenti, i loro comportamenti sono rimasti gli stessi. (26 gennaio 1994)

Sono anni che la sinistra dice di essere cambiata. Ma non è vero. I suoi uomini sono sempre gli stessi e i loro comportamenti sono sempre gli stessi. E gli alleati che si sono scelti sono persino peggio di loro. Hanno messo insieme una mescolanza terrificante che li vede marciare a braccetto, o meglio, ammanettati, al campione del giustizialismo. (20 marzo 2010)

Ho sentito quanto ebbi a dire sedici anni fa della sinistra. È rimasta la stessa sinistra di sempre. [...] In tutti questi anni è rimasta legata al suo passato: sono gli stessi uomini, addirittura le stesse sedi, la stessa ideologia, la stessa arroganza, la stessa prepotenza, gli stessi convincimenti che tutto sono meno che democratici.[2] (3 ottobre 2010)

Perché, ogni volta che può (e anche quando non potrebbe), B. evoca un'ideologia fallita come il comunismo?[3] Perché ha rappresentato a lungo uno spauracchio nazionale, diventando spesso una tradizione familiare. Non è strano sentire un ragazzo di vent'anni – nato dopo la caduta del Muro di Berlino – proclamare «Non voterò mai i comunisti!». Non li conosceva prima, quando c'erano; e non li conosce adesso, che non ci sono più. Ne teme però il contagio, come fossero una malattia.

La maggioranza degli italiani non ama il vocabolo: sa di fallimento storico e di altruismo obbligatorio, che va contro qualsiasi istinto nazionale. B. lo sa, e ci gioca. Memorabile l'assolo durante un comizio a Cinisello Balsamo, il 19 giugno 2009, alla vigilia del ballottaggio per le elezioni provinciali di Milano: «Siete ancora, oggi e come sempre, dei poveri comunisti!».[4]

L'anticomunismo non è l'unico strumento in cui B. vellica la faziosità degli italiani. Per ogni sezione dell'elettorato ha individuato l'antagonista, e ne ha fatto un piacevole oggetto di ostilità. Ai cattolici ha indicato gli anticlericali; agli immorali, i moralisti; agli imputati, i magistrati; ai post-fascisti, gli antifascisti; ai revisionisti, i partigiani; ai costruttori, gli ambientalisti; ai cacciatori, gli animalisti; agli evasori, i controllori; agli xenofobi, i critici stranieri. Non ha avuto bisogno di indicare i meridionali ai settentrionali e i settentrionali ai meridionali: a quello hanno pensato la Lega e gli alleati in Sicilia.

B. sa istigare amabilmente un gruppo contro un altro gruppo: e poiché i gruppi sono molti, e le rivalità accanite, il gioco può proseguire all'infinito. «Noi queste cose non le faremmo mai con voi, noi siamo gente libera, abbiamo uno spirito liberale, vi lasceremmo esprimere le vostre cose!» ha gridato ai contestatori in piazza del Duomo a Milano, poco prima di essere ferito da uno squilibrato. «Per questo dobbiamo contrapporci a voi! Perché vorreste trasformare l'Italia in una piazza urlante! [...] Diffidate da chi è sempre così, da chi non ha autoironia, da chi si prende troppo sul serio, da chi è sempre arrabbiato, da chi non sa sorridere, da chi non sa amare gli altri!»[5]

Amore contro odio. Destra contro sinistra. Noi contro voi. Io contro tutti. Il Palio di Siena si tiene due volte l'anno, il Palio di B. non finisce mai. Le contrade italiane sono esauste, ma la forza di litigare la trovano sempre.

La nostra vicenda nazionale è una collezione di rivalità indomabili. Rivalità sportive (Bartali/Coppi, Inter/Juventus, Rivera/Mazzola, Rossi/Biaggi), cinematografiche (Lollobrigida/Loren, Peppone/Don Camillo), televisive (Baudo/Bongiorno), musicali (Morandi/Villa, Ligabue/Vasco), meccaniche (Vespa/Lambretta, Lancia/Alfa), sartoriali (Armani/Valentino). La geografia italiana, complice la storia, è un sistema binario, formato da città contrapposte: Milano/Torino, Trieste/Udine, Verona/Brescia, Bologna/Modena, Crema/Cremona, Pisa/Livorno, Firenze/Siena, Napoli/Salerno, Palermo/Catania, Bari/Lecce, Catanzaro/Reggio Calabria, Cagliari/Sassari. In mancanza di un rivale esterno, ci si divide all'interno. Nella piccola Fucecchio (Firenze) vivevano gli *ingiuesi* (nella parte bassa del paese) e gli *insuesi* (nella parte alta), e non andavano per nulla d'accordo. Le nozze tra un *'ingiuese* e un *insuese* – raccontava divertito Montanelli, che a Fucecchio era nato – venivano considerate matrimoni misti.

La vicinanza non allenta l'ostilità: la esalta. È difficile rivaleggiare con chi sta agli antipodi, è gratificante farlo con chi abita dall'altra parte della strada. B. lo ha capito. Per questo cerca nemici dovunque, e si offre come antagonista in ogni momento. Ci sono personaggi e formazioni politiche che, dell'antiberlusconismo, hanno fatto l'unica ragione di vita. L'interessato l'ha sempre incoraggiato, fingendo di dolersene. Non è un caso che Fausto

Bertinotti (il comunista!) fosse spesso in televisione,[6] e Antonio Di Pietro (il giustizialista!) lo sia ancora.

Se n'è reso conto, nella campagna elettorale del 2008, il candidato del centrosinistra, Walter Veltroni. Ma poi ha spinto il gioco troppo in là, rifiutandosi addirittura di pronunciare il nome «Berlusconi», sostituito con «il principale esponente dello schieramento a noi avverso». Una perifrasi troppo artificiosa per non svelare ciò che nascondeva: un'ostilità non dissimile da quella dei predecessori.

Il bipolarismo italiano, oggi, non vede di fronte due programmi e due visioni del mondo, come accade nelle altre democrazie, ma due idiosincrasie. Non berlusconismo e antiberlusconismo, come crede qualcuno. Ma antiberlusconismo e la reazione a quest'ultimo. I seguaci di B. sono infatti, prima di tutto, avversari dei suoi avversari. Veder perdere la sinistra, per la destra, è la gioia più grande.

Se poi succede di vincere, tanto meglio.

Una nazione di conservatori, quale siamo, chiede parole rivoluzionarie: così da mettersi a posto la coscienza, e andare avanti come prima. La destra l'ha capito da tempo; la sinistra, non ancora.

Scrive Sergio Chiamparino nel suo libro *La sfida*: «I leader della destra sono stati capaci di presentarsi come la forza di contestazione del sistema. Sono loro che prendono il Palazzo d'Inverno. E noi siamo lo zar che difende i privilegi e ammassa i comò contro la porta nell'estremo e disperato tentativo di fermarli».[7]

La citazione denuncia la generazione – molti nuovi italiani penseranno che il Palazzo d'Inverno sia una sorta di

Villa Certosa natalizia, pronta per le allegre vacanze del Capo – ma centra il problema. Silvio Berlusconi e Umberto Bossi, contro ogni evidenza, riescono ad apparire come scavezzacollo futuristi. A sinistra sono costretti invece a improvvisarsi critici di opere altrui. Alla lunga, annoia.

Se è consentito saltare dall'arte alla biologia, potremmo dire che si tratta di una forma di parassitismo: quel rapporto tra due specie che porta al deperimento di uno dei due individui, mentre l'altro trae solo vantaggi. Non basta evitare di nominare l'avversario, come dicevamo. Bisogna convincere la gente che può vivere senza di lui.

Non è sufficiente essere nuovi, bisogna sembrarlo. I laburisti di Tony Blair, negli anni Novanta, hanno sconfitto i conservatori quando hanno cominciato a trattare Margaret Thatcher come un simpatico pezzo da museo. I conservatori di David Cameron hanno preparato la vittoria elettorale del 2010 riservando ai laburisti lo stesso trattamento: noi siamo il nuovo, voi avete già dato. Grazie e arrivederci.

Inutile ricordare a B. che le promesse non sono state mantenute. Risponderà che non gliel'hanno lasciato fare, citando errori nel partito,[8] avversari sleali, regole infernali, congiunture internazionali e congiunzioni astrali. Meglio, per l'opposizione, offrire all'elettorato una controproposta dettagliata, un'idea precisa del Paese, un sogno praticabile.

L'Italia è un treno fermo in aperta campagna; il macchinista litiga con il controllore, e i passeggeri stanno a guardare, tifando per uno o per l'altro.

Il 150° anniversario dell'Unità (1861-2011), trascorrerà tra liti di connazionali ingrigiti e sbadigli sotto tanti giovani capelli scuri. Concentriamoci sul 2020: è un numero esteticamente interessante, e in Italia queste cose contano.

B., allora, sarà un ricordo che s'allontana. Un incubo per alcuni, un rimpianto per altri. Per tutti dovrebbe essere un monito. Quel che conta, come notava Giorgio Gaber, non è Berlusconi in sé, ma Berlusconi in noi.[9] Lo ha intuito anche l'interessato: «Perché i miei concittadini mi apprezzano in un numero così elevato? Perché la maggior parte degli italiani nel loro intimo vorrebbero essere come me».[10]

Certo, per lui è stato un affare. Per noi, un po' meno.

10+1

Fattore Ruby

Siamo nelle mani di una diciottenne marocchina e di un'igienista dentale. Noi, i discendenti di Leonardo e Machiavelli, i fondatori dell'Unione Europea, la settima potenza industriale del pianeta. Ruby Rubacuori e Nicole Minetti, regine delle notti di Arcore, rappresentano – agli occhi del mondo – la nazione. L'Italia unita compie 150 anni (1861-2011): Camillo Benso, conte di Cavour, questa non se l'aspettava.

Non serve raccontare nei dettagli uno stile di vita che la signora Veronica – sempre loro, le mogli – ci aveva sinteticamente anticipato.[1] Quello che dobbiamo capire è la portata di quanto accade. Il chiasso del dibattito televisivo è una cortina fumogena: copre l'essenziale. Che è questo, purtroppo: il capo di governo di un importante Paese occidentale conduce una vita spericolata ed è accusato di prostituzione minorile. Ma sostiene d'essere perseguitato e detesta essere giudicato. «I magistrati sono il cancro della democrazia italiana»,[2] ha detto più volte.

Complicato? Oh yes, come diciamo a Milano. Anche perché il quadro dipinto dalle intercettazioni – diventate pubbliche dopo l'invio alla giunta per le autorizzazioni della Camera dei deputati –[3] non rappresenta solo abitudini stupefacenti (a meno che il bottone dello stupore sia bloccato da altri motivi). Coinvolge istituzioni, organi elettivi, apparati dello Stato (pensate all'uso delle scorte).

I giornali non si stanno occupando di gossip, come sostengono gli sprovveduti e i difensori interessati. Raccontano l'uomo che dovrebbe guidarci (leader viene da *to lead*, condurre); e sta diventando un cattivo esempio. Per fortuna i ragazzi italiani sono già oltre. Per loro B., intorno al quale s'affannano gli adulti, è la novità di ieri.

Moralismo!, gridano gli immorali. Anche Bill Clinton trescava con Monica Lewinsky!, aggiungono i disinformati, in cerca di prove a discarico. Be', per prima cosa Clinton s'è lasciato processare;[4] e poi, tra un'amante occasionale e il baccanale industriale, c'è una differenza. Smettiamola di paragonare cose imparagonabili, e facciamoci invece la domanda del marziano: cosa sta succedendo all'Italia e ai connazionali tentati dall'ennesima rimozione?

A furia di minimizzare, ridurremo il futuro a un'ipotesi. Invece arriva, tranquilli. A meno che abbiano ragione i Kaiser Chiefs quando cantano «*Due to lack of interest / Tomorrow is cancelled*»:[5] per mancanza di interesse, il domani è annullato. La canzone si intitola *Ruby*. Speriamo sia solo una coincidenza.

La sinistra italiana non ha mai voluto spiegare B.: le è bastato condannarlo. La destra, nemmeno: era troppo occupata ad applaudirlo e a difenderlo. Le vicende recenti richiedono tuttavia uno sforzo d'onestà intellettuale. Quando il «Financial Times» – forse il più influente quotidiano d'Europa – parla di «profonda vergogna per l'Italia»[6] non possiamo far finta di niente.

Le circostanze sono gravi, lo scenario inquietante. Non si tratta più dell'incoerenza pirotecnica tra la vita e i programmi di un leader: questo riguarda le coscienze (e la Chiesa, sempre che le interessino). Non si tratta ancora di un giudizio politico: se ne parlerà al momento del voto (una prima indicazione si è avuta nelle amministrative e nei referendum 2011). Si tratta invece di accuse pesanti e precise: un'organizzazione finalizzata alla prostituzione, che utilizza il personale, gli immobili, le televisioni e gli apparati di protezione del capo del governo. È un'ipotesi inquietante, che va provata o smentita.

Se fosse falsa, i magistrati ne risponderanno: B. potrà affermare di essere un perseguitato, e noi gli crederemo. Se fosse vera, invece, ne risponderanno gli imputati e la loro reputazione. Ma qualcuno deve risponderne. L'incertezza, stavolta, è un prezzo che non possiamo permetterci di pagare. Se lo aspettano gli allibiti osservatori stranieri e quelli – altrettanto severi – dentro le nostre case. Ai ragazzi italiani – i posteri cui è destinato questo libro – dobbiamo una risposta: cosa ci sta succedendo?

«La settima economia mondiale ha bisogno di riforme», scrive il già citato «Financial Times». «Un giovane su quattro è disoccupato, la crescita economica è debole, gli investimenti stranieri declinano, il debito ha raggiunto i 1800 miliardi di euro, il cancro della criminalità organizzata andrebbe rimosso, e la lista potrebbe continuare», osserva il quotidiano britannico. «Ma invece di soluzioni a questi problemi, gli italiani rischiano di assistere a un'altra puntata di Berlusconi-contro-giudici.»[7]

Ecco: questo è lo spettacolo da evitare. Lo abbiamo già visto e non ne possiamo più. C'è, in questi mesi, un'aria di stanchezza stupefatta che supera le ideologie e gli steccati di partito. Conosciamo i sospetti di parte della destra sui magistrati, e le speranze giudiziarie di una certa sinistra impotente. Ma non si può contestare l'arbitro all'infinito; a quel punto, tanto vale rinunciare alla partita. La nostra partita, però, si chiama democrazia: dobbiamo giocarla e vincerla, soprattutto nel 150° anniversario dell'Unità nazionale. L'alternativa è trasformare un compleanno in un funerale, ma non sarebbe una buona idea.

B. dovrà avere un coraggio gigantesco, perché le accuse lo sono. Ma stavolta non è possibile nascondersi: né per lui, né per noi. Per tanti anni è stato il nostro complice: ci ha perdonati e incoraggiati, assolti e giustificati, illusi e rincuorati. Ma tra complicità e imbarazzo corre un confine. E ce n'è un altro, drammatico, tra imbarazzo e disgusto. Il primo è stato superato. Il secondo, in una democrazia, non andrebbe attraversato mai. Perché è umiliante, perché è pericoloso e perché ha ragione il «Financial Times»: l'Italia merita di meglio.

Ci sono i commentatori dipendenti e i commentatori indipendenti. Ai primi – ministeriali e aziendali – che vogliamo dire? Questo, forse: cos'altro deve fare il capo perché dalle vostre bocche e dalle vostre penne esca non dico una critica – per carità! – ma almeno un dubbio, una perplessità, un'obiezione?

Si ha l'impressione che le notti di Arcore rappresentino una sorta di Rubicone (Ruby-cone?). Se lo oltrepassiamo, può succedere di tutto. No, non una deriva autoritaria (siamo troppo pigri, ormai, per queste cose). Diciamo la politica come pop-art: la fantasia al potere, ovviamente in abiti succinti. Cetto La Qualunque/Antonio Albanese s'è già espresso con chiarezza sul tema: «La realtà ci supera parecchiamente».[8]

Ai commentatori indipendenti, invece, che dire? Questo: insistere sulle forme, ignorando la sostanza, è un errore. I magistrati esagerano? Esorbitano, esondano, eccedono? Be', a Londra e a Berlino non interessa se la competenza sia della procura di Milano o di Monza. Vogliono sapere se un importante alleato vive come un satrapo del basso impero, tra baccanali e questuanti, oppure no. Non perché quei governi siano morali; ma perché certi comportamenti rendono l'alleato debole, distratto e ricattabile.

Lo stesso vale per l'opinione pubblica internazionale. Gli italiani nel mondo sanno cosa ci sta succedendo. Chiedetegli dell'umiliazione di questi mesi, seguita all'imbarazzo di questi anni. In una banca inglese o in un'azienda francese, in un'università americana o in un consolato in Germania: dovunque sorridono e/o ridono di noi (a seconda dell'occasione e del sadismo). Ai formalisti in servizio permanente effettivo domando: perché chiedete ai media di non raccontare le cose? Perché non dite a lui/a loro di non farle, invece? Avete idea di cosa accadrebbe se uscissero le foto e i video, come qualcuno teme, qualcun altro spera e Fabrizio Corona annuncia?[9] Diventeremmo la caricatura di un Paese occidentale, ammesso che non lo siamo già.

Ho visitato molte scuole, tra il 2010 e il 2011, e ho incontrato migliaia di studenti. Non lo facevo da tempo: mi è piaciuto. I ragazzi ci restituiscono sempre più di quanto gli diamo. Guardando i più grandi – i giovanissimi italiani nati nel 1992 – pensavo ai marinai in porto: la nave sta partendo, il mare fuori è grande, e possiamo solo sperare d'aver insegnato loro ciò che serve. Nel giorno della tempesta, infatti, non sempre ci saremo.

Mi scrive Elisa, una docente di Padova: «Questi ragazzi hanno bisogno di adulti che li convincano a sognare, perché hanno ali grandi, anche se sembrano rassegnati a non volare». Aggiungo: se non siamo capaci di ispirarli, almeno evitiamo di confondergli le idee e zavorrarli con i cattivi esempi. Le diciottenni italiane, nuove e luminose, devono stare a scuola con i coetanei. Non trastullare ricchi anziani la notte, vendendo loro i propri sogni e non solo.

Combattuto tra curiosità e fastidio, il pubblico domanda: come, dove, quanto? I magistrati chiedono: chi e quando? La sesta domanda, invece, non arriva: perché?

Perché B. si comporta così? Perché un uomo così importante, un capo di governo, si circonda di cortigiani e ancelle? La risposta più semplice potrebbe essere: gli piace. Non tanto il sesso, che a una certa età presenta le sfide dell'alpinismo, quanto l'approvazione e le sue tre sorelle: ammirazione, adulazione, adorazione.

La coreografia descritta dalle partecipanti ha qualche punto in comune con altre situazioni gradite al padrone di casa: convegni con giovani sostenitrici adoranti, cerimonie

paratelevisive, notti brasiliane e dacie russe, ville sarde e
università brianzole in festa. B. mostra i tratti di un narcisismo nucleare. Vuol essere applaudito e apprezzato. Uno
dei motivi per cui detesta i giornalisti – se non nella versione addomesticata e aziendale – è questo: le domande
antagonistiche sono prove di non-amore. Insopportabili.

L'esibizionismo nazionale – lo stesso che spinge alla ne-
vrosi della «bella figura» – viene portato alla temperatura
di fusione e produce energia. Quella che serve per rinunciare al sonno, alla prudenza, al buon senso; che induce a
utilizzare le proprie televisioni come esca e ricompensa;
che spinge a candidare, elevare e proteggere giovani donne
per meriti estetico-sessuali; e a difenderle oltre ogni logica.
Quella che permette di non vedere il lato grottesco di una
vicenda che Giampaolo Pansa su «Libero», dopo una
lunga introduzione assolutoria, definisce «la goduria di un
regista di film trash, capace di scovare gli eredi di Bombo-
lo, di Alvaro Vitali, delle Ubalde sempre calde, travestite
da infermiere, da professoresse, da poliziotte».[10]

L'uomo solo nel night-club, protagonista di tanto cinema e abbondante letteratura, cerca la stessa cosa. La ricostruzione artificiale della festa, il complimento e la lusinga, la parodia del corteggiamento, la prevedibile tentazione, l'illusione del fascino a pagamento. Una debolezza
umana e italiana: non per questo veniale, considerate le
modalità, il ruolo e le caratteristiche – anche anagrafiche –
delle protagoniste. Ma c'è qualcosa di familiare nella spasmodica ricerca di approvazione, i cui sintomi – noti in
azienda e nel partito, dove B. è rispettivamente «il dottore» e «il presidente» – sono diventati di dominio pubblico
nel 2009. Non per colpa dei magistrati o dei giornalisti.
Ma di un'imprudenza, clamorosa e rivelatrice.

La partecipazione alla festa del diciottesimo compleanno di Noemi Letizia – ne abbiamo già parlato in questo libro – mostrava i segni di un esibizionismo parossistico. Lo stupore negli occhi dei presenti: ecco a cosa non ha saputo resistere, l'uomo più ricco e potente d'Italia, quella sera. Altre volte – ad Arcore, a Palazzo Grazioli, a Villa Certosa – mostrava i video dei suoi incontri con i grandi del mondo: un'altra prova dello stesso fenomeno. Alcuni uomini hanno bisogno di un pubblico per funzionare. Se non lo trovano, lo acquistano.

C'è un po' di Tiberio (raccontato da Svetonio)[11] e un po' di Hugh Hefner (immortalato da «Playboy») in questa vicenda. Così s'appannano gli imperi: tra feste, mollezze e tentativi di fermare il tempo, con artifici che il tempo ci ha insegnato a conoscere. Famiglie, interessi e successi professionali non bastano più. Occorrono adulatori, ammiratrici, cantanti e una scenografia insieme spettacolare e malinconica, soprattutto perché studiata per sconfiggere la malinconia.

B. è un uomo solo. Lo capirà appena perderà il potere: i prezzi aumenteranno, gli amici diminuiranno. Chi gli vuole bene dovrebbe dirglielo: ma forse è tardi.

Milano, Modena, Genova, Torino, Padova, Pavia, Aosta, Marsala, Palermo, Cagliari, Nuoro, Sassari, Firenze, Perugia, Bergamo. Presentare un libro su B. vuol dire sentire opinioni su B. E quando non sono opinioni sono espressioni di facce curiose, sorrisi tirati, occhi sbigottiti, bocche spalancate. Ogni volta c'è di tutto; e sempre s'impara. Più dei critici, mi hanno colpito i difensori; in particolare quelli di una certa età. C'è una determinazione

protettiva, in molti anziani italiani, che ricorda quella
dei giocatori di football americano. B. è il loro quarter-
back, guai a chi lo tocca.

A Nuoro una signora ottantenne è marciata verso di
me al ristorante: «Stia attento a come parla di Berlusconi
stasera!». Non era una minaccia, ma una preghiera feroce (non mi deluda, non dica che in quelle case, quelle
sere, accadevano quelle cose!). Avrei potuto risponderle
che eravamo nella città di Salvatore Satta, e anche per il
suo idolo, e nostro capo, s'avvicina «il giorno del giudizio».[12] Non l'ho fatto: delle pantere grigie ho, insieme, timore e rispetto.

Domanda: perché persone che per decenni hanno
predicato la moderazione – con la propria vita, non solo
con le parole – difendono le Arcore's Nights? Perché
specchiati gentiluomini, che con Lele Mora non hanno
in comune neppure l'unghia del mignolo, difendono
certe frequentazioni? Perché rifiutano di commentare la
ripetuta e spettacolare incoerenza di B.? Perché non
sanno? O perché non vogliono sapere?

La risposta, credo, è triplice.

C'è una generazione che ha sinceramente temuto
l'avvento del comunismo, quando i comunisti c'erano
davvero. Un sentimento troppo radicato per essere cancellato. Negli anni s'è nutrito di irritazione verso le ipo-
crisie finto-progressiste, le arroganze para-sindacali, i fa-
natismi anti-americani, alcuni eccessi giudiziari. B. è, per
questi italiani, l'uomo che ha portato la destra alla vittoria e condannato la sinistra alla sconfitta. Tutto il resto
non conta, o non conta abbastanza.

Spettacolari eccessi, commoventi vanità, strepitose
amnesie: B. incarna un tipo che gli italiani nati negli anni

Venti e Trenta conoscono bene: la simpatica canaglia, che negli anni Sessanta passava con la fuoriserie, offriva da bere a tutti, metteva in conto e cercava di sedurre la cameriera. Per i suoi eccessi hanno un occhio indulgente. Quando B., in pieno scandalo, s'è lasciato sfuggire «Mi diverto», pochi l'hanno capito, salvo gli ottantenni: diceva la verità.

Infine, la rimozione. La accuse sono gravi, i particolari imbarazzanti, i racconti mortificanti, le implicazioni preoccupanti. Il nostro cervello, col passare degli anni, impara a cancellare i brutti ricordi e le informazioni sgradite: è un modo per sopravvivere. Questo fanno le pantere grigie: rimuovono, oppure guardano il Tg1.

C'è un lato oscuro e complice negli italiani, recita il sottotitolo del libro di Ermanno Rea, *La fabbrica dell'obbedienza*.[13] E noi ci ostiniamo a ignorarlo. Nessuno vuole sollevazioni in stile magrebino – ci mancherebbe altro – ma un po' di sana diffidenza verso il potere, questo sì. Molti di noi, invece, si bevono tutto. Anche il giornalismo governativo, un ossimoro che non stupisce i nostri sedicenti liberali, ma lascia basito qualsiasi osservatore straniero.

Sono venute a trovarmi tre inviate di Rai Cinque. Il programma si chiama *La banda del book* e prevede una visita domiciliare con esame dei libri del padrone di casa. Andandosene, propongono tre chiuse letterarie. Io ho scelto Mark Twain. *Libertà di stampa* finisce così: «Non facciamo altro che sentire, e l'abbiamo confuso col pensare. E da tutto ciò si ottiene solo un aggregato che consideriamo una benedizione. Il suo nome è opinione pubblica. È considerata con riverenza. Risolve tutto. Alcuni credono sia la voce di Dio».[14]

Brillante intuizione, quella di Mark Twain, nato Samuel Langhorne Clemens (1835-1910). Noi sentiamo (con la pancia) invece di pensare (con la testa). Sentire è un processo immediato, pensare un esercizio prolungato. La gente non ha tempo né voglia di trovare le informazioni e trarre le conclusioni. Non solo in Italia: in tutte le democrazie. La mole delle notizie affatica e disturba. E molti di noi non vogliono essere disturbati.

La politica l'ha capito. Utilizza perciò i temi, i modi e i tempi della pubblicità: poche informazioni gratificanti, al momento giusto. I candidati americani si svenano per acquistare spot televisivi, i politici britannici e tedeschi combattono per l'appoggio dei tabloid. B. mantiene il consenso – per ora – attraverso semplificazioni che i media (posseduti e controllati) diffondono oltre il Five Million Club, i cinque milioni di italiani bene informati che, come abbiamo visto (Fattore Truman), parlano più di quanto contano.

«Il conflitto d'interessi è cancellato dal voto!» Affermazione seducente ma fallace, perché il voto può essere – anzi è – condizionato dal conflitto d'interessi. «Il giudice ultimo è il popolo!» Suona bene, ma non c'è scritto nella Costituzione, che invece prevede la divisione dei poteri. «La vita privata è sacra!» Non sempre: di un leader dobbiamo valutare la coerenza, l'affidabilità, l'onestà, la responsabilità. «Vi pago, dovete sostenermi!» Sembra logico, non lo è. Giornalisti e calciatori del Milan, per esempio, fanno un altro lavoro.

Chi ascolta s'innamora delle frasi col punto esclamativo (!). Chi pensa arriva alle obiezioni che seguono. Ma c'è poco tempo per pensare, nelle nostre vite complicate e ipercollegate. Ce n'è abbastanza per sentire, invece. Chi sa trovare il momento e il modo riuscirà a convincerci. Perché siamo informatissimi e disinformati, cinici e ingenui, disarmati e presuntuosi. Siamo l'opinione pubblica. Siamo la pancia italiana che parla.

∾

Il circo è aperto, le luci sono accese, il mondo ride e i pagliacci – temo – siamo noi. Cielo azzurro laccato, verde tenero sugli alberi e antenne bianche sui furgoni delle televisioni di cinque continenti, in questa Milano giudiziaria che saluta la primavera del 2011. I sette minuti che non sconvolsero il mondo – immediato davvero, il rito immediato a carico di Silvio Berlusconi con le imputazioni di prostituzione minorile e concussione – lasciano l'amaro in bocca.[15] L'attenzione internazionale è legittima e prevedibile. Se le stesse accuse fossero rivolte a un altro capo di governo occidentale, la mobilitazione sarebbe simile. Resta la domanda: perché sempre noi?

Sorride Paula, la collega argentina che pensava d'aver visto tutto, in materia di populismo, piazze e leader perennemente pettinati. Mormora Leah, canadese: «Ma io pensavo fosse un vero processo!». Barbara Serra, regale in blu cobalto, mi domanda sorridente in diretta per Al Jazeera: «How do you explain bunga-bunga to the Arab world?, come spieghi il bunga-bunga al mondo arabo?». «Bunga-bunga? È il rumore di decine di milioni di teste italiane che picchiano contro il muro incredule», le ho risposto.

Perché sempre noi, bloccati da quasi diciott'anni in questo fotogramma italiano? B. contro i magistrati, il Palazzo di Giustizia sullo sfondo, il pubblico che si schiera ancor prima di capire? Il mondo si solleva, si entusiasma, muta, esplode e – ogni tanto – migliora. E noi sempre qui, a sbrogliare malinconiche matasse di fine impero.

L'entrata per la stampa è stata spostata sul retro, via San Barnaba. Per arrivarci, da corso di Porta Vittoria, bisogna percorrere via Freguglia, la via dei cappuccini, delle marche da bollo, delle attese e del sollievo. Giovani avvocati passano e salutano, diretti verso le loro abitudini. I palazzi di giustizia, come gli ospedali, hanno un contorno di umanità pensosa e professionisti stanchi. Dentro, quello di Milano mi ricorda – non da oggi – un'università balcanica: un frullato di competenza e scarsa manutenzione, molta passione e pochi mezzi, grandi temi e sogni a metà.

Nell'aula prestata dalla prima Corte d'Assise sono passati processi importanti, i drammi del terrorismo e gli orrori della clinica Santa Rita.[16] I giornalisti si salutano. Ci ritroviamo in molti, qualche chilo e qualche libro in più, i capelli grigi chi ancora ne ha. Reduci di un'Italia che non cambia, testimoni e sorvegliati speciali, con il divieto di usare il cellulare. Le gabbie per gli imputati sono coperte con strisce pudiche di stoffa bianca. Qui e là si aprono, e lo squarcio rivela il metallo sottostante. Tagli giudiziari stile Fontana, arte astratta per una vicenda surreale.

Entra Ilda Bocassini, rappresentante dell'accusa, occhiali scuri e orecchini di corallo: diva anche lei, suo malgrado. Entra il collegio giudicante: tutti in piedi a osservare tre donne sorprese dalla insolita ressa mattutina. Risuona il nome «Berlusconi Silvio», l'aggettivo «assente» e il sostantivo «contumacia». Parla l'avvocato Giorgio Perroni, sostituto processuale per Piero Longo e Niccolò Ghedini. Parla la difesa di El Mahroug Karima: Ruby non si costituirà parte civile. Fine. Grazie. Arrivederci.

179

Sette minuti. Come quelli censurati al Caimano di Nanni Moretti, come il titolo di un film di Russ Meyer, come il programma di Giuliano Ferrara su Rai Uno, come il tempo giusto per un rapporto sessuale (dice l'esperto su Internet).[17] «L'udienza di mero smistamento» è finita. Paola Boccardi, legale di Ruby, parla davanti a una muraglia di microfoni, neanche fosse Leonardo, l'allenatore dell'Inter (ma il suo umore è migliore). Fuori, in attesa, pochi berlusconiani e rari antiberlusconiani. Vestono colori sgargianti e portano cartelli destinati alle telecamere. Comparse anche loro, ormai. Il furore – pro e contro – ha lasciato il posto alla stanchezza: ognuno recita la propria parte, quasi per dovere.

I giornalisti si disperdono tra bar e redazioni. La prossima volta, dicono, forse sarà presente l'imputato. Si avvicina una reporter turca col taccuino in mano. Mi chiede cosa penso di tutta la faccenda. Le rispondo: hai visto quel film dove Bill Murray si sveglia ogni mattina, ed è sempre lo stesso giorno?[18] Ecco: l'Italia, da troppi anni, è questa. E ti assicuro, collega di Istanbul: al cinema è divertente, nella realtà un po' meno.

Antefatti finali

Come è nato questo libro

All'origine di questo libro ce n'è un altro, *La testa degli italiani*, uscito nel 2005 in Italia, nel 2006 negli Usa (col titolo *La Bella Figura*) e da allora in una dozzina d'altri Paesi. In giro per l'Europa e per il mondo, dopo ogni incontro, conoscevo già la prima domanda del pubblico, prima che mi venisse posta: «Berlusconi: perché?».

Talvolta era un perché indignato, altre volte un perché curioso. Gli stranieri, di qualsiasi opinione politica, semplicemente non capivano – e non capiscono – il lungo successo del personaggio. Sanno solo che è stato il dominatore della scena politica italiana, e il principale – qualcuno di noi dice: l'unico – argomento di conversazione per diciassette anni, dal momento dello sbarco in politica.

Perché gli stranieri faticano a capire? Perché, se la testa degli italiani è misteriosa, la pancia è addirittura esoterica. Se la psicologia è difficile, la gastroenterologia può essere sconvolgente.

Me ne sono reso conto scrivendo per l'«Economist»

(1993-2003), il «Sunday Times» di Londra (1993-1994), il settimanale «Time» (2008) e il «New York Times Syndicate» (2007-2009). Ne ho avuto conferma quando, nel 2010, l'Italian Society della London School of Economics (Lse) mi ha invitato a parlare della questione. In quell'occasione – giovedì 4 febbraio 2010, aula D202 – ho scelto come titolo *Signor B.: An Italian Mirror?* (Signor B: uno specchio italiano?) e ho inaugurato la «spiegazione per fattori» che è alla base di questo libro.

La stessa domanda – com'è possibile che voi italiani abbiate scelto, sostenuto e difeso Berlusconi? – mi viene posta, con impressionante regolarità, da tanti giornalisti e scrittori incontrati in Italia e all'estero. La mia amica Anne Applebaum, che ha poi trasferito la nostra conversazione nella sua rubrica sul «Washington Post»; il mio ex direttore Bill Emmott, autore di *Forza, Italia* (Rizzoli, 2010); lo storico inglese David Gilmour, che ne ha scritto in *The Pursuit of Italy* (Penguin, 2011); Matt Kaminski del «Wall Street Journal»; Doyle McManus del «Los Angeles Times», i colleghi della Bbc e molti altri. Ho trovato in loro più curiosità che preconcetti. A differenza di tanti commentatori nostrani, volevano sinceramente capire.

Lo stesso atteggiamento, devo dire, ho ritrovato nei ragazzi italiani. In questo caso non si è trattato di incontri pubblici. Non ho mai pensato di girare le scuole a parlare di Berlusconi (alcuni genitori sarebbero stati entusiasti, altri furibondi). I ragazzi di cui parlo sono mio figlio, i suoi amici, tanti nipoti, figli di amici, conoscenti, giovani frequentatori del mio forum «Italians» su Corriere.it. Ogni volta che s'è toccato il tema – in Italia è difficile evitarlo – mi sono accorto di avere davanti persone nuove e curiose, interessate a capire un uomo che – piaccia o no –

ha dominato la scena mentre loro crescevano. Ci sono state altre figure politiche importanti, dal 1994 a oggi. Ma se pensate che un diciottenne ricordi l'harakiri di Romano Prodi nel 1998, vi sbagliate.

Che altro dire? Ma sì, concediamoci una frase fatta: ai posteri l'ardua sentenza. Perché stavolta non c'è prescrizione che tenga. Silvio Berlusconi verrà giudicato.

Note

1. Fattore Umano

1. Fiorenza Sarzanini, *Autoscatti a Palazzo Grazioli. La serata delle tre ragazze*, «Corriere della Sera», 22 giugno 2009. Da Corriere.it: http://bit.ly/b0DIR0.

2. Piero Gobetti, *Elogio della ghigliottina*, «La Rivoluzione Liberale», anno I, n. 34, 23 novembre 1922: «Ma il fascismo è stato qualcosa di più; è stato l'autobiografia della nazione». (Fonte: http://www.erasmo.it/liberale/, Archivio digitale Centro studi Piero Gobetti www.centrogobetti.it.)

3. Roma, conferenza-stampa per il III vertice italo-egiziano, 19 maggio 2010.
M.Ca., *E il premier scambia Google con Gogol*, «Corriere della Sera», 20 maggio 2010.
Da Corriere.it: http://bit.ly/cozMQM.

4. Informazione personale.

5. Cáceres (Spagna), vertice dei ministri degli Esteri europei, 8 febbraio 2002. Da Repubblica.it: http://bit.ly/diVtqz.

   Strasburgo, presentazione del semestre italiano di presidenza del Consiglio dell'Unione europea, 2 luglio 2003. Da YouTube: http://bit.ly/aNDovz.

   Porto Rotondo, visita privata di Tony Blair, 16 agosto 2004. Da news di Libero.it: http://bit.ly/b0rXrl.

Paola Di Caro, *Calzoni di lino e bandana, Silvio spinge Tony al bagno di folla*, «Corriere della Sera», 17 agosto 2004.

Bolzano, comizio elettorale con Michaela Biancofiore, 29 maggio 2005. Da Corriere.it: http://bit.ly/amug4b; da YouTube: http://bit.ly/9nHX9o.

Parma, insediamento dell'Autorità Europea per la Sicurezza Alimentare, 21 giugno 2005. Da Corriere.it: http://bit.ly/cAUdvh; da YouTube/Blob: http://bit.ly/a2wwEr.

Napoli, comizio elettorale, 26 marzo 2006. Da YouTube: http://bit.ly/9bN8GR.

Roma, visita di Luiz Inácio Lula da Silva, presidente del Brasile, 11 novembre 2008. Da Sky Sport24 http://bit.ly/bgWjbY.

Trieste, vertice italo-tedesco, 18 novembre 2008. Da Corriere.it: http://bit.ly/cE12Tq.

Kehl (Germania), vertice Nato, 4 aprile 2009. Da Corriere.it: http://bit.ly/bZyOJa; da Sky Tg24: http://bit.ly/bj6FfC).

Londra, G20, 2 aprile 2009. Da Corriere.it: http://bit.ly/91HUKg; da YouTube: http://bit.ly/aftjS1.

Roma, Senato, 30 settembre 2010. Il trattato New Start 2 è stato firmato da Barack Obama e Dimitrij Medvedev l'8 aprile 2010 a Praga. Da YouTube: http://bit.ly/az3ccW.

6. Nick Squires, *Silvio Berlusconi's top 10 gaffes and pranks*, «Telegraph», 4 aprile 2009.
Da Time.com: http://bit.ly/c5QkOu.
Da bbc.co.uk: http://bbc.in/bH8Izr.

7. Da YouTube: http://bit.ly/dAmysc.

8. Teatro Eliseo di Nuoro, campagna elettorale per le Regionali 2009, 17 gennaio 2009.
Roma, Atreju 2010, 12 settembre 2010. Da YouTube/Sky Tg24: http://bit.ly/95kijY.
Roma, sotto Palazzo Grazioli, notte tra il 29 e il 30 settembre 2010. Da YouTube/Repubblica TV: http://bit.ly/9IOZRA.

9. Mosca, vertice italo-russo, 6 novembre 2008. Da YouTube: http://bit.ly/bNXrZv.

10. New York, visita negli Stati Uniti, incontro con imprenditori, 24 settembre 2003.
Gianluca Luzi, *Berlusconi, show a Wall Street: ho salvato l'Italia dai comunisti*, «la Repubblica», 25 settembre 2003.
Maria Latella, *Berlusconi invita Wall Street. In Italia meno comunisti*, «Corriere della Sera», 25 settembre 2003.

11. Roma, vertice italo-albanese, 12 febbraio 2010.
Vincenzo La Manna, *Berlusconi scherza con Berisha sulle «bellezze» dell'Albania*, «il Giornale», 13 febbraio 2010.
Da YouTube: http://bit.ly/dqrzR1.

12. Milano, Festa Nazionale del Popolo della Libertà, 3 ottobre 2010. Da Sky Tg24: http://bit.ly/cFybhU.

13. Piano Casa, 6 marzo 2009. Da Governo.it: http://bit.ly/9ZeHEt.
Da ilsole24ore.com: http://bit.ly/a70sW0.

14. Enrico Marro, *L'Italia delle case fantasma. Due milioni non denunciate*, «Corriere della Sera», 24 luglio 2010.

15. Massimiliano Scafi, *Ai giovani case con mutui inferiori agli affitti*, «il Giornale», 24 gennaio 2009.

16. Milano, celebrazione del 30° anniversario della rivista «Capital», 13 luglio 2010. Da YouTube/Sky Tg24: http://bit.ly/ceJoZ3.

17. Natalia Ginzburg, *Le piccole virtù*, Einaudi, Torino 1962.

18. Edmondo Berselli, *Post italiani*, Mondadori, Milano 2003, p. 3.

19. Andrea Romano, *Sottoculturali, tanto beati e incoscienti*, «Il Sole 24 Ore», 25 luglio 2010.

20. Renato Farina, *Berlusconi tale e quale. Vita, conquiste, battaglie e passioni di un uomo politico unico al mondo*, «Libero», 2009, fascicolo 4, p. 73.

21. Francesco Verderami, *Giulio, ti dico: cambia metodo*, «Corriere della Sera», 17 luglio 2010.

2. Fattore Divino

1. Da Sky Tg24: http://bit.ly/b6gG23.

2. Ernesto Galli della Loggia, *L'identità italiana*, il Mulino, Bologna 1998, p. 47.

3. Emilia Costantini, *Ambra è una replicante: ecco le prove*, «Corriere della Sera», 10 dicembre 1994.
   Da YouTube: http://bit.ly/cJscPZ; 31 gennaio: http://bit.ly/9Q7GKE.
   Paolo Conti, *Boncompagni: caso Ambra? Ragazzate*, «Corriere della Sera», 2 febbraio 1994.

4. Pierluigi Battista, *Il caso. L'investitura del Cavaliere*, «La Stampa», 26 novembre 1994.

5. Silvia Giacomoni, *Ma contro Dio più della DC ha potuto la tv*, «la Repubblica», 30 agosto 1994.

6. *Una storia italiana*, Mondadori Printing, 2001, rivista elettorale. Da www.pdl.it: http://bit.ly/8XmLzQ.
   Giuliana Parotto, *Sacra Officina. La simbolica religiosa di Silvio Berlusconi*, Franco Angeli, Milano 2007.
   Riccardo Bruno, *Letture, orazioni e il «credo»: gli azzurri in seminario da Silvio*, «Corriere della Sera», 11 maggio 2004.
   Luigi Frasca, *Sono il Gesù della politica, una vittima*, «Il Tempo», 13 febbraio 2006.

7. Salvatore Dama, *Silvio cerca uomini di buona volontà*, «Libero», 27 dicembre 2009.
   Da Repubblica.it: http://bit.ly/a01XOn.
   L'originale Partito dell'Amore venne fondato il 12 luglio 1991 da sostenitori di Ilona Staller (nota come Cicciolina), una pornostar eletta nel 1987 alla Camera dei deputati nelle liste del Partito Radicale. Alle elezioni del 1992 il partito si presentò alla Camera dei deputati solo nella XIX circoscrizione laziale (Rieti esclusa) e ottenne 22.401 voti (0,6 per cento). La capolista Moana Pozzi ottenne più preferenze (12.393) di Francesco Rutelli. (Fonte: www.partitodellamore.it.)

8. *Silvio, i candidati e il patto-preghiera*, «Corriere della Sera», 20 marzo 2010. Da YouTube/Sky Tg24: http://bit.ly/dA3D0q.

9. Gian Guido Vecchi, *L'arcivescovo: faccia chiarezza con i fatti*, «Corriere della Sera», 21 giugno 2009.
   Antonio Sciortino, *Per una valutazione meno «disincantata»*, «Famiglia Cristiana», 25 giugno 2009.

10. *Angelus*, presso il Palazzo Apostolico di Castel Gandolfo, 22 agosto 2010.
    Aldo Cazzullo, *Il disagio dei cattolici*, «Corriere della Sera», 22 agosto 2010.

11. Il 1° ottobre 2010 il sito dell'«Espresso» pubblica un video amatoriale in cui viene ripreso Silvio Berlusconi, in Abruzzo (data non specificata), circondato da un gruppo di militari, mentre racconta una barzelletta. La storiella cita Rosy Bindi e si chiude con una bestemmia.
Tra le reazioni del giorno dopo, Mons. Rino Fisichella esorta alla cautela nei giudizi: «Bisogna sempre in questi momenti saper contestualizzare le cose».
Da «L'espresso»: http://bit.ly/aBcqt6.
Giacomo Galeazzi, *La Chiesa critica il Premier: «Bestemmia insopportabile»*, «La Stampa», 3 ottobre 2010.

12. Tommaso Labate, *Il premier «puttaniere»*, «Il Riformista», 26 marzo 2009.

13. Mariastella Gelmini, *È il Pdl il partito più attento ai valori cattolici*, «Corriere della Sera», 23 agosto 2010.
Emanuele Lauria, *Accuse disgustose e inaccettabili. La Chiesa non aiuta i fedeli in politica*, «la Repubblica», 25 agosto 2010.
Martino Cervo, *Cattolici a sorpresa: un leader non si giudica solo dalla sua morale*, «Libero», 26 luglio 2009.

14. Gad Lerner, *La crociata di Cl contro i moralisti*, «la Repubblica», 28 agosto 2010.

15. Segrate (Mi), 17 aprile 2010. Da YouTube/Canale5: http://bit.ly/9lI5mr.

16. Nicholas Farrell, *La sinistra critica Gheddafi ma non le moschee sotto casa*, «Libero», 1° settembre 2010.

17. Giuseppe De Rita, *Il cattolico post moderno e lo scarso peso in politica*, «Corriere della Sera», 31 agosto 2010.

18. Da YouTube/Rai Uno: http://bit.ly/b7Yhqs.

19. Conversazione personale.

20. Ferruccio Pinotti e Udo Gümpel, *L'Unto del Signore*, Bur Rizzoli, Milano 2009, p. 278.

21. Gianni Baget Bozzo, *E ora è Berlusconi il vero leader morale dei cattolici*, «il Giornale», 10 febbraio 2009.

22. Aldo Cazzullo, *Il Cavaliere? Un dono di Dio all'Italia*, «Corriere della Sera», 6 novembre 2009.
Premio Grande Milano, 19 luglio 2010. Da YouTube: http://bit.ly/amUx9R.

3. Fattore Robinson

1. *Berlusconi: «L'inchiesta P3? Solo polvere. Basta con questo clima giacobino»*, 13 luglio 2010. Da Corriere.it: http://bit.ly/9zfQF4.

2. Telefonata in diretta alla trasmissione *Ballarò*, Rai Tre, 1° giugno 2010. Da YouTube: http://bit.ly/9S4Jg8.
   Roma, conferenza-stampa a Palazzo Chigi, 17 febbraio 2004. Da YouTube: http://bit.ly/d98REm.

3. Jimmy Vescovi, *Tesi di laurea zoppe per un'Italia zoppa*, «Corriere della Sera», 7 ottobre 2010; «Italians»: http://bit.ly/bwLxh2.

4. Giovanni Arpino, *Azzurro tenebra*, (I edizione Einaudi, Torino 1977), Bur Rizzoli, Milano 2010, p. 154.

5. Bill Emmott, *Forza, Italia*, Rizzoli, Milano 2010, p. 8.

6. Edward C. Banfield, *Le basi morali di una civiltà arretrata*, il Mulino, Bologna 1976, introduzione.

7. Alexander Stille, *Citizen Berlusconi*, Garzanti, Milano 2006, p. 26.

8. Conversazione con l'autore e Johnny Grimond per l'«Economist», Palazzo Grazioli, 12 febbraio 1997.

9. Sergio Romano, *Il conflitto d'interessi e il caso Berlusconi*, «Corriere della Sera», 18 maggio 2007.

10. Sergio Romano, *La memoria degli Elettori*, «Corriere della Sera», 13 agosto 2010.
    Giuliano Ferrara, *Gli affari del signor Berlusconi sono gli affari della nazione*, «Il Foglio», 6 settembre 2010.

11. Cui collaboro dal 2004 – potenziale conflitto d'interessi.

12. Sara Bennewitz e Ettore Livini, *La legge ad aziendam salva la Mondadori*, «la Repubblica», 11 agosto 2010.

13. Vittorio Grevi, *Un'amnistia mascherata*, «Corriere della Sera», 28 agosto 2010.

14. Dario Cresto-Dina, «*Prodi non può fare le riforme e Silvio rimarrà fino a 80 anni*», «la Repubblica», 30 novembre 2005.

15. Silvio Guarnieri, *Carattere degli italiani*, Einaudi, Torino 1946, p. 271.

16. Andrea Maria Candidi, *Il processo civile taglia tre anni*, «Il Sole 24 Ore», 1° giugno 2009.

17. Roma, sotto Palazzo Grazioli, notte tra il 29 e il 30 settembre. Da Repubblica Tv: http://bit.ly/cLumjm.
Milano, Festa Nazionale del Popolo della Libertà, 3 ottobre 2010. Da Sky Tg24: http://bit.ly/aHmjoV.

18. Robert Putnam, *La tradizione civica nelle regioni italiane*, Mondadori, Milano 1993, p. 103.

4. Fattore Truman

1. Diffusione media dei quotidiani: 4.637.197 (Fonte: Ads; media quotidiana tra maggio 2009 e aprile 2010).

Lettura di libri in Italia per l'anno 2009: il 10,8 per cento della popolazione maggiore di 15 anni ha letto dai 4 ai 6 libri, ovvero 5.574.000 persone (Fonte: Istat).

Sky Tg24+Meteo: 1,9 milioni di contatti unici. Tg La7: 3,2 milioni di contatti unici (Fonte: Asca).

Media di telespettatori di *Annozero* nella stagione 2009/2010: 5 milioni ca (Fonte: Asca). Media di telespettatori di *Ballarò* nella stagione 2009/2010: 4 milioni, record 5,166 milioni.

Informazione seconda serata: *Porta a Porta*, nella prima parte, 1,5 milioni; *Matrix* 1,1 milioni; *L'ultima parola* 700.000; *Linea Notte* 700.000 (Fonti: Rai, «la Repubblica», Auditel).

Visitatori quotidiani dei siti d'informazione (primi 11, a esclusione di quelli sportivi): 4.362.756 (Fonte: Audiweb Nielsen).

Accesso a Internet via smartphone/cellulare/palmare: 4,7 milioni (Fonte: Audiweb).

Acquisti su siti di e-commerce: 5,6 milioni (Fonte: Camera di Commercio di Milano, dati relativi al 2009).

2. Aldo Grasso, *La sfida di Mentana e gli ascolti dei Tg*, «Corriere della Sera», 19 luglio 2010. Nella stagione 2008/2009

20.400.000 italiani seguivano il Tg serale, nella stagione 2009/2010 solo 19.470.000.

3. Michele Polo, *Notizie S.p.A.*, Laterza, Roma-Bari 2010, pp. 6-7.

4. Il 1° gennaio 2011, come previsto dalla legge Gasparri (2004), scadrà la norma della legge Mammì (1990) che vieta a chi possiede più di una rete televisiva di acquisire il controllo dei giornali. Da AgCom: http://bit.ly/cQn7uG; da *Il Governo Berlusconi 2001-2006*: http://bit.ly/bhasf6.

5. Marco Travaglio e Peter Gomez, *Le mille balle blu*, Bur Rizzoli, Milano 2006, pp. 366-367.

6. Manoscritto in mio possesso.

7. La Maddalena, 10 settembre 2009, vertice italo-spagnolo. Da YouTube: http://bit.ly/doSZM5.

8. Conversazione personale.

9. Film di Peter Weir, con Jim Carrey, 1998.

10. Intervista *Zona Severgnini*, Sky Tg24, 23 aprile 2010. Da Sky Tg24: http://bit.ly/9lyJLe.

11. Lettera di Thomas Jefferson a Edward Carrington, 16 gennaio 1787 (Fonte: archivi Università di Chicago: http://bit.ly/9w6K9l).
Citazione di H.L. Mencken da Peter Kemp, *The Oxford Dictionary of Literary Quotations*, Oxford University Press, 2004.

12. L'Aquila, G8, conferenza-stampa, 9 luglio 2009. Da YouTube/Sky Tg24: http://bit.ly/aCrLWw.

13. Da YouTube: http://bit.ly/a1qdxB.

14. Giovanni Valentini, *La sindrome di Arcore*, Longanesi, Milano 2009, p. 124.

15. Maurizio Viroli, *L'Italia dei doveri*, Rizzoli, Milano 2008, p. 138.

16. Da YouTube: http://bit.ly/b7oWOA.

17. *Uno spot della Fininvest contro i referendum Tv*, «Corriere della Sera», 25 febbraio 1995. Da YouTube, spot con Rita Dalla Chiesa: http://bit.ly/c7Y8QO.

18. Dialogo avvenuto durante un vertice della Casa delle Libertà a Palazzo Chigi, riportato in Bruno Vespa, *Storia d'I-*

talia da Mussolini a Berlusconi, Mondadori, Milano 2005, p. 569.

19. Gabriele Villa, *Boffo, il supercensore condannato per molestie*, «il Giornale», 28 agosto 2009.

20. *Domenica In*, Rai Uno, 12 aprile 2009. Da YouTube: http://bit.ly/9ZRzqR.

21. Olbia, Convegno Enac, 28 novembre 2009. Da Sky Tg24: http://bit.ly/9HYrw6.
Roma, Palazzo Chigi, conferenza-stampa, 16 aprile 2010. Da YouTube: http://bit.ly/d58Tey.

22. Roma, Palazzo Chigi, 26 giugno 2009. Da YouTube/Sky Tg24: http://bit.ly/bfUmID.

5. Fattore Hoover

1. Barbara Spinelli, *L'impotente grandezza del Cavaliere*, «La Stampa», 15 agosto 2010.

2. Giuseppe Fiori, *Il venditore. Storia di Silvio Berlusconi e della Fininvest*, Garzanti, Milano 1995, p. 26.

3. Bruno Vespa, *Storia d'Italia da Mussolini a Berlusconi*, Mondadori, Milano 2005, p. 371.

4. Dino Martirano, *Berlusconi: dico no ai governicchi. Non farò precipitare l'Italia nella crisi*, «Corriere della Sera», 12 settembre 2010.
Da Sky Tg24: http://bit.ly/ciejsO.

5. Videomessaggio registrato: http://www.pdl.it/silvioberlusconi, *La discesa in campo*.
Porta a Porta, Rai Uno. Da YouTube/Rai Uno: http://bit.ly/cG4AWt.
Roma, manifestazione Popolo della Libertà, piazza San Giovanni. Da YouTube/Rainews24: http://bit.ly/aB2vtX.

6. Tony Blair, *Un viaggio*, Rizzoli, Milano 2010, p. 680.

7. Franco Ordine, *Dopo tanti veleni, il Milan come scacciapensieri*, «il Giornale», 2 settembre 2010.
Alberto Costa, *Troppi sondaggi negativi e il Milan ha invertito la rotta*, «Corriere della Sera», 2 settembre 2010.

8. Roma, Atreju 2010, 12 settembre 2010. Da YouTube: http://bit.ly/aF93cp.

9. Roma, intervista con Paula Newton, 25 maggio 2009. Da Cnn.com: http://bit.ly/bUeP4e (in italiano).

10. *Porta a Porta*, Rai Uno, 15 settembre 2009. Da YouTube: http://bit.ly/9J2VDi.

11. Giuseppe Fiori, *Il venditore. Storia di Silvio Berlusconi e della Fininvest*, Garzanti, Milano 1995, p. 163, citazione di Stefano E. D'Anna e Gigi Moncalvo.

12. *Porta a Porta*, Rai Uno, 15 settembre 2009. Da YouTube: http://bit.ly/9J2VDi.

13. *Legionali Azzurri, difensori del voto*, opuscolo inserito nel pacchetto «Motore Azzurro», datato Roma, 26 novembre 2005. Da AdnKronos: http://bit.ly/b7eO23.
    Milano, Festa Nazionale del Popolo della Libertà, 3 ottobre 2010. Da Sky Tg24: http://bit.ly/b3hOEg.

14. Viviana Kasam, *Nelle valigie del candidato di Forza Italia bandiere, spille e la Piramide del successo*, «Corriere della Sera», 2 marzo 1994.
    Marco Galluzzo, *E Silvio dà il kit ai candidati: dite che Walter è il nuovo Stalin*, «Corriere della Sera», 14 marzo 2008.

15. *Porta a Porta*, Rai Uno, 15 settembre 2009. Da YouTube: http://bit.ly/bnEkPT.

16. Da Sky Tg24: http://bit.ly/9qUF89.
    Da AdnKronos: http://bit.ly/bKlsxy.
    Daniele Manca, *Contro mio padre una caccia all'uomo. E ora nel mirino anche le nostre aziende*, «Corriere della Sera», 10 ottobre 2009.
    Giuseppe D'Avanzo, *Il Cavaliere e la favola dei 106 processi*, «la Repubblica», 20 novembre 2009.
    Assoluzioni: in un'occasione con formula piena per l'affare «Sme-Ariosto/1» (la corruzione dei giudici di Roma); due volte ex Art.530 comma 2 del Codice di Procedura Penale.

17. Umberto Eco, *Tecniche del venditore di successo*, «la Repubblica», 29 settembre 2003.

18. Da www.pdl.it: http://bit.ly/a7jdij.

19. Giuseppe Fiori, *Il venditore. Storia di Silvio Berlusconi e della Fininvest*, Garzanti, Milano 1995, p. 34.

20. Vicenza, Convegno Biennale Centro Studi Confindustria, 18 marzo 2006. Da YouTube: http://bit.ly/bO1ize.

21. Giovanni Ruggeri e Mario Guarino, *Berlusconi. Inchiesta sul Signor Tv*, Kaos Edizioni, Milano 1994, p. 22.
    La falsa polemica Berlusconi a Sarkozy, battuta sulla Sorbona non su donna Carla, «il Giornale», 28 febbraio 2009; da YouTube/Canal+: http://bit.ly/cjq5Oa.
    Giuseppe Fiori, *Il venditore. Storia di Silvio Berlusconi e della Fininvest*, Garzanti, Milano 1995, p. 95.
    Orlando Mastrilli, *Berlusconi giocò nella Pro Patria? Tra mito e realtà nessuno conferma*, 27 maggio 2010. Da Varesenews: http://bit.ly/b2PNzB.

22. Giuseppe Berto, *Modesta proposta per prevenire*, Rizzoli, Milano 1971, p. 51.

23. Sergio Rizzo, *1994-2010: promesse non mantenute*, blog *La deriva*, 12 gennaio 2010. Da Corriere.it: http://bit.ly/9YtfEN.

6. Fattore Zelig

1. Lorenzo Fuccaro, *Il premier dal Brasile difende la manovra. «La crisi è alle spalle»*, «Corriere della Sera», 30 giugno 2010. Da YouTube: http://bit.ly/cNOKvO, l'«attacco» delle *Iene* brasiliane (*Custe o que custar*, 29 giugno 2010, in onda su Rede Bandeirantes).

2. *Zelig*, di e con Woody Allen, Warner Bros, 1983.

3. Gigi Moncalvo e Stefano E. D'Anna, *Berlusconi in concert*, Otzium, Londra 1994.

4. Marco Belpoliti, *Il corpo del capo*, Guanda, Milano 2009, pp. 62-63.

5. Conversazione personale.

6. Renato Farina, *Berlusconi tale e quale. Vita, conquiste e passioni di un uomo politico unico al mondo*, «Libero», 2009, fascicolo 5, p. 89.

7. Giuseppe Fiori, *Il venditore. Storia di Silvio Berlusconi e della Fininvest*, Garzanti, Milano 1995, p. 161.

8. L'Aquila, 26 giugno 2009. Da YouTube: http://bit.ly/at9luy.

9. Edmondo Berselli, *Post italiani*, Mondadori, Milano 2003, p. 55.

10. Michele Serra, *L'amaca*, «la Repubblica», 25 ottobre 2008. Roma, Camera dei deputati, 29 settembre 2010: «È veramente paradossale che quando qualcuno dei parlamentari, e sono tanti, eletti nelle fila del Popolo della Libertà passi in altri partiti questo sia eticamente valido ed anche esteticamente plaudibile, e invece quando qualche altro parlamentare, anche con la coscienza di vedere la situazione del Paese, decide di votare per il Governo questo si voglia vendere come calcio mercato, come compravendita di parlamentari». (Fonte: www.ilpopolodellaliberta.it.) Rai Uno, dibattito moderato da Clemente J. Mimun (allora direttore del Tg1), 14 marzo 2006. Rai Uno, dibattito moderato da Bruno Vespa, 3 aprile 2006.

11. Veronica Lario Berlusconi, *Veronica Berlusconi, lettera a «Repubblica». «Mio marito mi deve delle scuse»*, «la Repubblica», 31 gennaio 2007. Lettera di risposta di Silvio Berlusconi diffusa dalle agenzie, 31 gennaio 2007. Da Corriere.it: http://bit.ly/apxfZx.

12. Luigi Garlando, *Le frecce di Leonardo. Berlusconi come Narciso*, «La Gazzetta dello Sport», 18 settembre 2010.

13. Roberto Zuccolini, *Barzelletta sull'Aids, tutti contro Berlusconi*, «Corriere della Sera», 5 aprile 2000. *Porta a Porta*, Rai Uno, 9 marzo 1998. Marco Marozzi, *Paghiamo gli errori di Fini*, «la Repubblica», 10 marzo 1998.

14. Roberto Tartaglione, *Also sprach Berlusconi*, 12 gennaio 2002. Da http://bit.ly/cI9Sso.

15. Enzo Biagi, *Il senso perduto della misura*, «Corriere della Sera», 7 luglio 2000.

16. Tg1, edizione delle 20, 2 luglio 2010. Da YouTube: http://bit.ly/biKAlk.

17. Lorenzo Fuccaro, *Berlusconi ironizza sulle veline: scusate se non le porto con me*, «Corriere della Sera», 1° maggio 2009.

18. Spot Magic Italy: http://bit.ly/dtnQbA.

Francesco Rutelli, allora ministro dei Beni Culturali, presenta Italia.it, 7 marzo 2007. Da YouTube: http://bit.ly/bcDb4s.

19. Massimo Giannini, *Lo Statista. Il Ventennio berlusconiano tra fascismo e populismo*, Baldini Castoldi Dalai, Milano 2008, p. 11.

20. Ernesto Galli della Loggia, *Perché Berlusconi non è sobrio*, «Style/Corriere della Sera», 1° giugno 2009.

7. Fattore Harem

1. Conchita Sannino, *Noemi, la ragazza festeggiata dal premier. «Una sorpresa eccezionale, per me è papi»*, «la Repubblica», 29 aprile 2009.
Dario Cresto-Dina, *Veronica, addio a Berlusconi. «Ho deciso, chiedo il divorzio»*, «la Repubblica», 3 maggio 2009.
Giuseppe D'Avanzo e Conchita Sannino, *Vi racconto come tutto è nato tra Berlusconi e la mia Noemi*, «la Repubblica», 24 maggio 2009.
Fulvio Bufi, *La mamma di Noemi irritata. «Squallore sulla mia bimba»*, «Corriere della Sera», 30 aprile 2009.
Massimo Giannini, *Noemi e quella cena a Villa Madama con il Cavaliere e gli imprenditori*, «la Repubblica», 21 maggio 2009.
Angela Frenda, *Da Noemi alle ex meteorine, la festa di Villa Certosa*, «Corriere della Sera», 25 maggio 2009.
Fabrizio Roncone, *Fede e le telefonate: magari le ho parlato. Il premier? Gentile con tutti*, «Corriere della Sera», 25 maggio 2009.

2. Maria Luisa Agnese, *Amore senza limiti*, «Corriere della Sera», 8 agosto 2010.
Danilo Taino, *L'ultimo dolore di Goethe*, «Corriere della Sera», 28 marzo 2008.

3. *L'harem di Berlusconi*, «Oggi», 17 aprile 2007.
Roberto Rizzo, *Berlusconi e 5 ragazze*, foto su «Oggi», 17 aprile 2007. Da Corriere.it: http://bit.ly/cRKoTx.
Michael Wolff, *All Broads Lead to Rome*, «Vanity Fair», settembre 2009. Da Vanityfair.com: http://bit.ly/9R2K6H.

4. Marco Niada, *Il tempo breve*, Garzanti, Milano 2010, pp. 25-26

5. *Porta a Porta*, Rai Uno, 5 maggio 2009. Da Rai.tv: http://
   bit.ly/8XI3uB.

6. Francesco Bei, *Lo show di Silvio in Bulgaria. «Una fila di
   donne vuole sposarmi»*, Repubblica.it, 14 giugno 2010.
   Lorenzo Fuccaro, *Ricco e simpatico, tutte mi vogliono*, «Corriere della Sera», 14 giugno 2010.
   Marco Galluzzo, *E Silvio dà il kit ai candidati: dite che Walter è il nuovo Stalin*, «Corriere della Sera», 14 marzo 2008.

7. Roma, Atreju 2009, 9 settembre 2009: http://bit.ly/aDhvm9.
   Pittsburgh, G20, 25 settembre 2009: http://bit.ly/bJhmlI.
   Controcampo, Italia Uno, 16 dicembre 2007: http://bit.ly/
   a8msJ6.
   Marco Galluzzo, *Silvio-show tra battute galanti ed Esopo:
   Romano rana, comunisti come scorpioni*, «Corriere della Se-
   ra», 27 gennaio 2007.
   Veronica Lario Berlusconi, *Veronica Berlusconi, lettera a
   «Repubblica». «Mio marito mi deve delle scuse»*, «la Repub-
   blica», 31 gennaio 2007.

8. L'Aquila, 9 aprile 2009; Tg1, 13 aprile 2009. Da YouTube:
   http://bit.ly/bihStM; http://bit.ly/bcne7d.
   Milano, 31 marzo 2008. Da Youreporter: http://bit.ly/
   97MX0R.
   Marco Galluzzo, *Berlusconi, a gennaio congresso del Pdl*,
   «Corriere della Sera», 9 agosto 2008.
   Roma, Assemblea di Confindustria, 21 maggio 2009:
   http://bit.ly/btlS4s.
   Ilaria Sacchettoni, *Diploma e dieci giorni di selezioni, la crocerossina che ha colpito il Premier*, 4 giugno 2010. Da Cor-
   riere.it: http://bit.ly/9jjBt5.

9. *Italians*, «Sette/Corriere della Sera», 26 agosto 2010.

10. Francesco Di Frischia, *Polverini: la Gagliardi in Canada?
    Con permesso non retribuito*, «Corriere della Sera», 28 giu-
    gno 2010; *La Zanzara*, Radio24, 6 luglio 2010: http://
    bit.ly/cEdzrO.

11. Santa Margherita Ligure, Assemblea Giovani Imprenditori di
    Confindustria, 13 giugno 2009. Da YouTube: http://bit.ly/
    98rNxF.

12. Marco Ansaldo, *L'ultima sorpresa di Silvio. Ho avuto una fi-
    danzata turca*, «la Repubblica», 13 novembre 2002; Paola

Di Caro, *In Francia c'è chi si mette a fare il clown*, «Corriere della Sera», 19 aprile 2002.

13. Maria Laura Rodotà, *E nel «reality elettorale» Silvio fa voto di castità*, «Corriere della Sera», 30 gennaio 2006.

14. Speciale Elezioni Politiche 2006. Da Corriere.it: http://bit.ly/cWzR2N.

15. Bazzano (L'Aquila), 25 aprile 2009. Da YouTube: http://bit.ly/9hhbtt.
Novedrate (Como), e-Campus, 19 luglio 2010. Da Sky Tg24: http://bit.ly/aMqaQg.
Milano, Premio Grande Milano, 19 luglio 2010. Da YouTube: http://bit.ly/9vPuYO.

16. Tg2 *Punto di vista*, 13 marzo 2008. Da YouTube: http://bit.ly/aeXjBo.
Dati Bayes-Swarm: http://bit.ly/d19du2.
Esami di sanità per i pm, 8 aprile 2008. Da Corriere.it: http://bit.ly/bfACg4.
Marco Galluzzo, *Minigonne ma anche pari opportunità: la Mussolini guida il «golpe rosa»*, «Corriere della Sera», 6 aprile 2002.

17. Andrea Schianchi e Alessandra Bocci, *Allegri ha il fisico ed è un maestro. Io però sono un professore e gli ho già detto: si deve giocare con due punte*, «La Gazzetta dello Sport», 21 luglio 2010. Da Gazzetta Tv: http://bit.ly/ax2Lho.

18. *Berlusconi e la battuta sulla cameriera. «Volevo farmi una ciulatina...»*, 29 giugno 2010. Da Corriere.it: http://bit.ly/auNFso.
Milano, Inaugurazione cantiere dell'autostrada Brescia-Bergamo-Milano, 22 luglio 2009. Da Sky Tg24: http://bit.ly/byBg4K.

8. Fattore Medici

1. Franco Venturini, *Nessuna informazione al Quirinale. Il «silenzio» del governo sulla visita*, «Corriere della Sera», 1° settembre 2010.

2. Dino Martirano, *La lezione romana di Gheddafi*, «Corriere della Sera», 30 agosto 2010.

Marco Tarquinio, *Incresciosa messa in scena o forse solo boomerang*, «Avvenire», 31 agosto 2010.
Maurizio Lupi e Mario Mauro, *Basta offrire il palcoscenico al dittatore*, «La Stampa», 31 agosto 2010.

3. Alexander Stille, *Citizen Berlusconi*, Garzanti, Milano 2006, p. 27.
Curzio Maltese, *Il non Congresso del Cavaliere*, «la Repubblica», 28 maggio 2004.

4. Giuseppe Prezzolini, *L'Italia finisce. Ecco quel che resta*, Vallecchi, Firenze 1958, pp. 13-33.

5. Sergio Romano, *L'ossessione del complotto*, «Corriere della Sera», 4 febbraio 2010.
Ernesto Galli della Loggia, *L'ossessione dei poteri forti*, «Corriere della Sera», 31 dicembre 2005.

6. Gian Antonio Stella, *Da Brescia a Reggio Calabria. Così la Gelmini diventò avvocato*, «Corriere della Sera», 4 settembre 2008.
Da Repubblica.it: http://bit.ly/b64l4t.

7. *Matrix*, Canale 5, 15 marzo 2006. Da YouTube: http://bit.ly/bD3DyF.

8. Gian Antonio Stella, *Le firme di Grillo e la Costituzione*, «Corriere della Sera», 8 settembre 2010.

9. Alessandro Gilioli, *La verità su B. raccontata dal suo ex avvocato*, 29 gennaio 2010. Dal blog Piovono Rane: http://bit.ly/diCq3C.
Aldo Cazzullo, *Con il mio elisir Silvio ha 12 anni di meno*, «Corriere della Sera», 3 febbraio 2004.

10. Rodolfo Sala, *Anche Albertini lascia Silvio. «Per lui il confronto è eresia»*, «la Repubblica», 6 agosto 2010.
Giannino della Frattina, *Albertini al Pdl: Resto con voi ma serve un codice etico*, «il Giornale», (ed. di Milano), 21 agosto 2010.

11. 19 luglio 2010. Da ilgiornale.it: http://bit.ly/calwt6.

12. c.l., *Sorrisi e complimenti osé per le deputate*, «la Repubblica», 1° agosto 2010.
Ottavio Lucarelli, *Un mosaico dedicato a Berlusconi*, «la Repubblica» (edizione di Napoli), 24 luglio 2010.

13. Pierfranco Pellizzetti, *Fenomenologia di Berlusconi*, Manifestolibri, Roma 2009, p. 49.

14. Indro Montanelli e Roberto Gervaso, *L'Italia dei secoli d'oro*, Bur Rizzoli, Milano 2010, p. 226.
    Bernd Roeck e Andreas Tönnesmann, *Federico da Montefeltro. Arte, stato e mestiere delle armi*, Einaudi, Torino 2009, p. 194.

15. *Ibidem*.

16. Pierfranco Pellizzetti, *Fenomenologia di Berlusconi*, Manifestolibri, Roma 2009, p. 18.
    Giampaolo Pansa, *Prevedo un ticket fasciocomunista Gianfranco-Nichi*, «Libero», 28 luglio 2010.

17. Da Fotografia&Informazione: http://bit.ly/b7keA0.

18. Bernd Roeck e Andreas Tönnesmann, *Federico da Montefeltro. Arte, stato e mestiere delle armi*, Einaudi, Torino 2009, p. 6.

19. Da www.pdl.it: http://bit.ly/c07rhA.
    Roma, manifestazione Popolo della Libertà, piazza San Giovanni. Da YouTube/Rainews24: http://bit.ly/aB2vtX.

20. Alexander Stille, *Citizen Berlusconi*, Garzanti, Milano 2006, p. 26.

21. *Marcegaglia:«Rispettare Napolitano». Berlusconi: «Democrazia? Ghe pensi mì»*, 12 ottobre 2009. Da Corriere.it: http://bit.ly/aHQnRE.
    Marco Galluzzo, *Stampa estera, Berlusconi accusa. E sulle toghe: carriere separate*, «Corriere della Sera», 12 ottobre 2009.
    Benevento, Festa della Libertà, 11 ottobre 2009. Da YouTube/Sky Tg24: http://bit.ly/99KFf8.

22. Amedeo La Mattina, *Nuovo attacco a Fini e ai magistrati*, «La Stampa», 11 settembre 2010. Da Sky Tg24: http://bit.ly/bal5OF.

9. Fattore T.I.N.A.

1. Marcello Veneziani, *Signori di sinistra, l'incubo Berlusca l'avete creato voi*, «Libero», 18 novembre 2008.

2. Luca Ricolfi, *Perché siamo antipatici? La sinistra e il complesso dei migliori prima e dopo le elezioni del 2008*, Longanesi, Milano 2008.

3. Mauro Favale, *Primarie subito, poi le alleanze parlando anche coi cattolici*, «la Repubblica», 25 agosto 2010.

4. Flavia Amabile, *Santoro, ora i fan si ribellano sul web*, «La Stampa», 20 maggio 2010.
   Rai, politici, giornali: Santoro contro tutti. «Volete che resti? Chiedetemelo», 20 maggio 2009. Da Corriere.it: http://bit.ly/cofwYY.

5. Sergio Rizzo, *La Cricca*, Rizzoli, Milano 2010, p. 148.

6. www.corriere.it/italians:
   Il Pd ha il complesso del Deserto dei tartari: http://bit.ly/9Cn5A9.
   «Compagni» con la barca: http://bit.ly/9tsScK.
   I motivi per i quali non si vota a sinistra: http://bit.ly/cCfYyD.

7. Stefano Lorenzetto, *La nuova vita da ministro mamma*, «il Giornale», 22 agosto 2010.

8. *Splintering at the top*, l'«Economist», 9 settembre 2010, p. 29.
   Maroni e Alfano celebrano i «successi senza precedenti» del governo, 16 agosto 2010. Da Affaritaliani.it: http://bit.ly/bm0CTB.
   6483 arresti tra maggio 2008 e agosto 2010, tra cui 26 tra i 30 latitanti più pericolosi, 32.799 beni sequestrati o confiscati ai clan per quasi 15 miliardi di euro.

9. Fabrizio Forquet, *Così la riforma di Basilea non va. Bene la crescita*, «Il Sole 24 Ore», 4 agosto 2010.

10. Intervista automobilistica dell'autore a Umberto Bossi uscita sul «Giornale» il 27 marzo 1992.
    Incontro di Johnny Grimond e dell'autore con Umberto Bossi nella sede della Lega Nord di via Bellerio a Milano, 10 febbraio 1997.

11. Conversazione con Edoardo Nesi. *Se hai una montagna di neve, tienila all'ombra. Un viaggio nella cultura in Italia*, regia di Elisabetta Sgarbi, Prod. Betty Wrong, 2010.

10. Fattore Palio

1. Sulle rivalità del Palio di Siena: http://bit.ly/cMixCM.

2. Roma, manifestazione del Popolo della Libertà, piazza San Giovanni, 20 marzo 2010. Da YouTube: http://bit.ly/aB2vtX.
   Milano, Festa Nazionale del Popolo della Libertà, 3 ottobre 2010. Da Sky Tg24: http://bit.ly/aIR0I1.

3. *Ballarò*, Rai Tre, 27 ottobre 2009. Da YouTube: http://bit.ly/cn2foa.
   Marco Cremonesi, *Democrazia a rischio per colpa della sinistra*, «Corriere della Sera», 22 novembre 2005.
   Varie, da YouTube: http://bit.ly/bkTLJh; http://bit.ly/aLL6dN.

4. Cinisello Balsamo, comizio del 19 giugno 2009. Da Sky Tg24: http://bit.ly/cmkFC3.

5. Milano, piazza del Duomo, 13 dicembre 2009, poco prima dell'aggressione a opera di Massimo Tartaglia. Da YouTube/Sky Tg24: http://bit.ly/99nTW6.

6. Aldo Cazzullo, *Bertinotti dal comunismo al gossip: «Mi sento inattuale»*, «Corriere della Sera», 4 febbraio 2010.

7. Sergio Chiamparino *La sfida. Oltre il Po per tornare a vincere anche al Nord*, Einaudi Stile Libero, Torino 2010.

8. Messaggio inviato al Convegno *La Dc nel Pdl*, Saint Vincent, 10 ottobre 2010. Da Corriere.it: http://bit.ly/dpYXmK.

9. Gad Lerner, *L'emozione di sentirsi perdente*, «Corriere della Sera», 6 aprile 2001.

10. *Mattino 5*, intervistato da Maurizio Belpietro, 7 settembre 2009. Da YouTube: http://bit.ly/cwhBfm.

10+1. Fattore Ruby

1. *Veronica Lario: «L'uso delle donne per le Europee? Ciarpame senza pudore»*, 28 aprile 2009. Da Corriere.it: http://bit.ly/ljgKt6.

2. Assemblea di Confesercenti, Roma, 25 giugno 2008. Da Corriere Tv: http://bit.ly/klBnHS. Comizio elettorale per

Amministrative 2011, Milano, 7 maggio 2011. Da Corriere.it: http://bit.ly/jZFMVu.

3. Dino Martirano, *Carte a Montecitorio ed esplode il caso ragazze: in tante si sono prostituite*, «Corriere della Sera», 18 gennaio 2011.

4. Nel 1998, la mancata ammissione davanti a una giuria di una relazione di tre anni prima con Monica Lewinsky, stagista della Casa Bianca, rientrò in una più ampia indagine a carico dell'allora presidente degli Stati Uniti. Le accuse di falsa testimonianza e di intralcio alla giustizia portarono alla procedura di sfiducia (impeachment) al Congresso. Sfiduciato alla Camera, dopo quindici giorni di processo fu giudicato non colpevole dal Senato. Le testimonianze (CNN): http://bit.ly/kbGAgz.

5. *Ruby*, Kaiser Chiefs. Da: *Yours Truly, Angry Mob*, B-Unique Records, 2006.

6. *Verdict in Rome*, «Financial Times», 16 gennaio 2011.

7. *Ibidem.*

8. Da Corriere Tv: http://bit.ly/l29Fq5.

9. Da Sky Tg24, 11 novembre 2010: http://bit.ly/kBYhre.

10. Giampaolo Pansa, *Uccide più il ridicolo che il colpo di spada*, «Libero», 23 gennaio 2011.

11. Svetonio, *De vita Caesarum.*

12. Salvatore Satta, *Il giorno del giudizio*, Adelphi, Milano 1979.

13. Ermanno Rea, *La fabbrica dell'obbedienza*, Feltrinelli, Milano 2011.

14. Mark Twain, *Libertà di stampa*, Piano B, Prato 2010.

15. Luigi Ferrarella, Giuseppe Guastella, *Via al processo, Ruby non sarà parte civile*, «Corriere della Sera», 7 aprile 2011. Da Corriere.it: http://bit.ly/lc2EeW.

16. Nel giugno 2008, nell'ambito di un'indagine della guardia di finanza iniziata un anno prima per una truffa ai danni del Servizio Sanitario Nazionale, emerge che nella clinica milanese Santa Rita venivano eseguiti interventi «avventati, inutili, dannosi» per gonfiare i rimborsi statali.

17. Il 9 febbraio 2011, giorno in cui la procura di Milano chiede il giudizio immediato per Silvio Berlusconi in relazione al caso Ruby, la trasmissione tv *Parla con me* condotta da Serena Dandini decide di mettere in onda le scene finali de *Il caimano*, film di Nanni Moretti, nella quale il premier affronta un processo. Una lettera dalla direzione della Rai ne impedisce la messa in onda integrale. Da YouTube: http://bit.ly/l7yapH; *I sette minuti che contano* (titolo originale: *The Seven Minutes*) di Russ Meyer, 1971; *Qui Radio Londra*, trasmissione condotta da Giuliano Ferrara, Rai Uno; *Sesso: la passione dura 10 minuti*, 30 giugno 2010, da Tgcom: http://bit.ly/lvnuV9.

18. *Ricomincio da capo* (titolo originale: *Groundhog Day*) di Harold Ramis, 1993.

Indice dei nomi

Indice dei nomi

Ginzburg, Natalia 29
Giulioni, Patrizio 149
Goethe, Johann Wolfgang 115
Gore, Al 65
Gori, Giorgio 70
Grangiotti, Domenica 149
Greggio, Ezio 70
Grillo, Beppe 133, 154
Grimond, Johnny 152
Guarnieri, Silvio 56
Guicciardini, Francesco 157
Gümpel, Udo 43
Guzzanti, Paolo 71
Guzzanti, Sabina 102

Halonen, Tarja 23
Hefner, Hugh 174
Hitler, Adolf 24
Hoover, J. Edgar 17
Hoover, William 78

Ibrahimović, Zlatan 81

Jefferson, Thomas 66
Johnson, Lyndon B. 17

Kaminski, Matt 168
Kohl, Helmut 141

Lario Berlusconi, Veronica 105, 117, 167
Lenin 152
Leonardo 27, 105, 180
Leonardo da Vinci 38, 167
Letizia, Benedetto 114
Letizia, Noemi 15, 113-116, 174
Letta, Gianni 101
Lewinsky, Monica 168
Ligabue, Luciano 161
Lollobrigida, Gina 161
Longo, Piero 134, 179
Loren, Sophia 161
Lula da Silva, Luiz Inácio 23, 97

Lula da Silva, Marisa Letícia 97
Lupi, Maurizio 128

Machiavelli, Niccolò 93, 167
Magnano, Francesco 134
Mancini, Mattia 158
Marcegaglia, Emma 119
Marchi, Vanna 90
Marinella, Maurizio 134
Marinetti, Filippo Tommaso 107
Marini, Valeria 70
Marongiu, Gianni 86
Maroni, Roberto 152
Martino, Antonio 71, 86
Marx, Karl 148
Matera, Barbara 134
Mauro, Mario 128
Mazzini, Giuseppe 51
Mazzola, Sandro 161
McManus, Doyle 168
Medvedev, Dmitrij Anatol'evič 108, 128, 141
Mencken, Henry Louis 66
Mentana, Enrico 64, 70
Merkel, Angela 23, 98, 101
Messina, Alfredo 134
Messori, Vittorio 37
Meyer, Russ 180
Minetti, Nicole 134, 167
Minzolini, Augusto 71
Molossi, Giuliano 99
Moncalvo, Gigi 98
Montanelli, Indro 99, 100, 153, 161
Mora, Lele 175
Morandi, Gianni 161
Moretti, Nanni 180
Murray, Bill 180
Mussolini, Benito 31, 51, 130

Newton, Paula 83
Nietzsche, Friedrich 104
Nutrizio, Nino 104

211

Obama, Barack 24, 83, 98, 119, 141
Obama, Michelle 117
Occhetto, Achille 37, 79
Ordine, Franco 81

Padoa-Schioppa, Tommaso 87
Palin, Sarah 122
Pansa, Giampaolo 137, 173
Pato, Alexandre 27
Pecorella, Gaetano 134
Perroni, Giorgio 179
Pes, Giorgio 21
Pinotti, Ferruccio 43
Pisanu, Beppe 71
Platone 101
Podestà, Guido 135
Polidori, Francesco 121
Polo, Michele 62
Prestigiacomo, Stefania 130
Prezzolini, Giuseppe 16, 131
Prodi, Romano 17, 87, 104, 147, 169
Puricelli, Giorgio 133
Putin, Vladimir 22, 65, 98, 100, 141

Rabin, Yitzhak 70
Radek, Karl 87
Rampello, Davide 70
Ratzinger, Joseph (papa Benedetto XVI) 40
Rea, Ermanno 176
Ricolfi, Luca 145
Riina, Totò 73
Rivera, Gianni 161
Rizzo, Sergio 148
Robinho 81
Romano, Sergio 53
Rossi, Valentino 161
Rossi, Vasco 161
Roth, Philip 113

Ruby, Rubacuori *si veda* El Mahroug, Karima
Rutelli, Francesco 105, 109, 154

Salvemini, Gaetano 114
Santoro, Michele 147
Sarkozy, Nicolas 65, 98, 102, 119
Satta, Salvatore 175
Saviano, Roberto 73
Scajola, Antonio Claudio 28, 136
Scapagnini, Umberto 135
Scholz, Bernhard 40
Sciascia, Salvatore 134
Scola, cardinale Angelo 41
Scotti, Gerry 70
Segni, Mario 71
Serra, Barbara 178
Serra, Michele 104
Sforza, Francesco 137
Silvan (mago) 72
Simonetto, Miti 93
Spangler, James M. 77
Spinelli, Barbara 77
Stalin, Iosif 37, 87, 93
Stille, Alexander 52, 139
Stracquadanio, Giorgio Clelio 148
Svetonio 174

Tabacci, Bruno 71
Tagore, Rabindranath 120
Taormina, Carlo 134
Tarantini, Giampaolo 26
Tartaglione, Roberto 106
Telese, Luca 148
Thatcher, Margaret 17, 150, 163
Tiberio 174
Tomassini, Antonio 135
Tremonti, Giulio 31, 151
Tulliani, Elisabetta 71
Twain, Mark (Samuel Langhorne Clemens) 176-177

Urbani, Giuliano 48, 78

Indice dei nomi

Indice

Beppe Severgnini ha raccolto l'invito della campagna
"Scrittori per le foreste" promossa da Greenpeace.
Questo libro è stampato su carta riciclata senza cloro
e non ha comportato il taglio di un solo albero.
Per maggiori informazioni: http://www.greenpeace.it/scrittori/

Finito di stampare
nel mese di agosto 2011 presso il
Nuovo Istituto Italiano d'Arti Grafiche - Bergamo

Printed in Italy

ISBN 978-88-17-05058-6